# Vida discipular 1

## La cruz del discípulo

Avery T. Willis, Jr.
Kay Moore

**Lifeway** recursos

Brentwood, Tennessee

ISBN 978-0-7673-2597-4
Ítem 001133355

Clasificación Decimal Dewey 248.4
Subdivisión: Discipulado

A menos que se indique lo contrario, todas las citas bíblicas se han tomado de la Santa Biblia, Versión Reina Valera de 1960, propiedad de las Sociedades Bíblicas en América Latina, Publicada por Broadman & Holman Publishers, Nashville, TN. Usada con permiso.

Para ordenar copias adicionales escriba a Lifeway Customer Service, 200 Powell Place, Suite 100, Brentwood, TN 37027; FAX (615) 251-5933; Teléfono 1-800 257-7744 ó envíe un correo electrónico a customerservice@lifeway.com. Le invitamos a visitar nuestro portal electrónico en www.lifeway.com donde encontrará otros muchos recursos disponibles.

*Impreso en los Estados Unidos de América*

Multi-Language Team
Lifeway Resources
200 Powell Place, Suite 100
Brentwood, TN 37027

**1 = totalmente en desacuerdo**
**2 = casi en desacuerdo**
**3 = no estoy seguro**
**4 = casi de acuerdo**
**5 = totalmente de acuerdo**

126. Dios lleva a cabo su obra por medio de los creyentes dentro de la iglesia local. **1 2 3 4 5**

127. Cristo determinó que las iglesias locales sean el medio para el cuidado de los creyentes en la fe. **1 2 3 4 5**

128. El nuevo creyente debe bautizarse por inmersión antes de que se le acepte como miembro de la iglesia local. **1 2 3 4 5**

129. El bautismo y la cena del Señor son las ordenanzas que la iglesia local tiene, y no deben practicarse fuera de ella. **1 2 3 4 5**

130. Cada persona que nace, hereda la naturaleza pecaminosa como resultado de la caída de Adán, y por lo tanto está separada de Dios, y necesita del Salvador. **1 2 3 4 5**

131. Cada iglesia local es autónoma, con Cristo como su cabeza, y debe trabajar junto con otras iglesias para predicar el evangelio a todas las personas. **1 2 3 4 5**

132. Existe sólo un Dios verdadero, que se revela a la humanidad como Dios Padre, Hijo y Espíritu Santo. **1 2 3 4 5**

133. Cristo volverá una segunda vez para recibir a sus fieles, muertos o vivos, y para dar al mundo el final que le corresponde. **1 2 3 4 5**

134. Jesucristo es el Hijo de Dios, que murió en la cruz por los pecados del mundo y fue resucitado de los muertos. **1 2 3 4 5**

135. Jesucristo, hecho carne durante su vida en la tierra, fue Dios y hombre. **1 2 3 4 5**

136. ¿Cuán religiosos o espirituales puede decir que son sus 3 ó 4 mejores amigos? **1 2 3**
    1 = no muy religiosos
    2 = en alguna medida religiosos
    3 = muy religiosos

137. ¿Cuántos de sus amigos son creyentes? **1 2 3 4 5**
    1 = ninguno          4 = la mayoría
    2 = unos pocos       5 = todos
    3 = varios

138. ¿Es usted hombre o mujer? **Hombre   Mujer**

139. Indique el grupo al cual pertenece según su edad:
    **1 2 3 4 5 6**
        1 = 18-22                4 = 41-50

2 = 23-30          5 = 51-60
3 = 31-40          6 = 61 o más

140. He sido un miembro activo de la iglesia local.
    **1 2 3 4 5**
    1 = nunca
    2 = muy poco tiempo en mi vida
    3 = la mitad de mi vida
    4 = gran parte de mi vida
    5 = toda mi vida

141. ¿Hace cuánto tiempo que es creyente?
    **1 2 3 4 5 6**
    1 = menos de 1 año      4 = 6-10 años
    2 = 1-3 años            5 = 11-20 años
    3 = 4-5 años            6 = más de 20 años

142. La identificación como miembro de una iglesia en el lugar donde vive es...**1 2 3 4 5**
    1 = innecesaria         4 = de gran valor
    2 = de poco valor       5 = imperativa
    3 = de valor

143. ¿Ha participado alguna vez en un curso discipular?
    **Sí   No**
    Si respondió que sí, ¿en qué curso participó?

144. Plan maestro              **Sí      No**
145. La mente de Cristo        **Sí      No**
146. Sígueme                   **Sí      No**
147. Evangelismo Explosivo     **Sí      No**
148. Mi experiencia con Dios   **Sí      N o**
    Si ha participado en algún otro, escriba el nombre:
    _____

149. ¿Cuántas semanas estuvo participando de ese curso? **1 2 3 4 5**
    1 = 0-5 semanas         4 = 16-25 semanas
    2 = 6-10 semanas        5 = Más de 25 semanas
    3 = 11-15 semanas

150. ¿Cuándo participó de este curso? Desde _____ hasta _____

151. ¿Este curso fue dado o patrocinado por su iglesia local? **Sí   No**
    Si respondió que no, ¿qué organización patrocinó este curso?
    _____

152. ¿Ha discipulado alguna vez a otro creyente en forma personal? **Sí   No**

_____

1. James Slack y Brad Waggoner, *"The Discipleship Inventory"* (El inventario del discipulado), (Richmond: Junta de Misiones de la Convención Bautista del Sur). Usado con permiso.

# Contenido

Los autores . . . . . . . . . . . . . . . . . . . . . . . . . . . . . . 4

Introducción . . . . . . . . . . . . . . . . . . . . . . . . . . . 5

Permanecer en Cristo . . . . . . . . . . . . . . . . . . . . 7

Hoja de trabajo autobiográfica . . . . . . . . . . . . . . 8

El pacto del discípulo . . . . . . . . . . . . . . . . . . . . 9

SEMANA 1   Dedicarle tiempo al Maestro . . . . . . . . . . . . . . . . . 10

SEMANA 2   Vivir en la Palabra . . . . . . . . . . . . . . . . . . . . . . . 31

SEMANA 3   Orar con fe . . . . . . . . . . . . . . . . . . . . . . . . . . 53

SEMANA 4   Tener comunión con los creyentes . . . . . . . . . . . . 73

SEMANA 5   Testificar al mundo . . . . . . . . . . . . . . . . . . . . . 91

SEMANA 6   Ministrar a otros . . . . . . . . . . . . . . . . . . . . . . . 114

La cruz del discípulo . . . . . . . . . . . . . . . . . . . 134

Mapa para reconocer las necesidades del mundo . . . . 137

Lista para el pacto de oración . . . . . . . . . . . . . . 138

Cómo redimir el tiempo . . . . . . . . . . . . . . . . . 138

El inventario del discípulo . . . . . . . . . . . . . . . 139

# Los autores

AVERY T. WILLIS, JR., creador y autor de *Vida discipular*, es vicepresidente para operaciones foráneas en la Junta de Misiones Internacionales de la Convención Bautista del Sur. La versión original de *MasterLife: Discipleship Training for Leaders*, publicado en 1980, fue utilizado por más de 250.000 personas en los Estados Unidos. Ha sido traducido a más de 50 idiomas diferentes para provecho de miles de personas. Willis también es autor de *Indonesian Revival: Why Two Million Came to Christ* (Avivamiento espiritual en Indonesia: Por qué se convirtieron a Cristo dos millones de personas), *The Biblical Basis of Missions* (El fundamento bíblico de las misiones), *MasterBuilder: Multiplying leaders* (La multiplicación de los líderes), *BibleGuide to Discipleship and Doctrine* (Guía bíblica hacia el discipulado y la doctrina) y varios libros en lengua indonesia.

Willis sirvió durante 10 años como pastor en los estados de Oklahoma y Texas y durante 14 años como misionero en Indonesia. En el curso de este período prestó servicios como presidente del Seminario Teológico Bautista Indonesio durante 6 años. Antes de ocupar su actual cargo, trabajó como director del departamento de adultos de la División de Discipulado y Familia de la Junta de Escuelas Dominicales de la Convención Bautista del Sur, donde presentó una serie de cursos para la profundización del discipulado conocida como el Instituto *LIFE*.

KAY W. MOORE se desempeñó como coautora de esta edición actualizada de *Vida discipular*. Trabajó como editora en el departamento de adultos de la División de Discipulado y Familia de la Junta de Escuelas Dominicales de la Convención Bautista del Sur, Kay dirigió el equipo editorial que produjo la serie *LIFE Support*. La misma está constituida por cursos que pueden ayudar a las personas a resolver cuestiones críticas en su vida. En su carácter de escritora, editora y conferenciante, Moore ha escrito o ha colaborado en la elaboración de numerosos libros acerca de la vida familiar, las relaciones y temas de inspiración. Es autora de la obra *Gathering the Missing Pieces in an Adopted Life* y frecuentemente contribuye en revistas religiosas y guías devocionales.

# Introducción

*Vida discipular* es una ayuda para formar discípulos en grupos pequeños para que puedan desarrollar una relación perdurable y obediente con Cristo. *Vida discipular 1: La cruz del discípulo* es el primero de cuatro libros en este proceso discipular.

## LO QUE HAY AQUÍ PARA USTED

El propósito de *Vida discipular* es su desarrollo como discípulo, para que usted llegue a ser semejante Cristo. Para ello, usted debe seguir a Jesús, aprender lo que Él enseñó a sus seguidores y ayudar a otros a ser discípulos de Cristo. *Vida discipular* se diseñó para contribuir a que usted haga de la siguiente definición del discipulado su estilo de vida:

En el discipulado cristiano se desarrolla una relación personal de obediencia a Cristo para toda la vida. Esta transformará su carácter haciéndolo semejante al de Cristo, reemplazará sus valores por los valores del reino de Dios y le dará parte en la misión de Cristo en el hogar, la iglesia y el mundo.

A medida que usted progrese en el proceso de *Vida discipular* y aprenda a seguir a Cristo como discípulo suyo, experimentará la dicha de crecer espiritualmente. He aquí varias maneras en que usted crecerá:

- Descubrirá que negarse a usted mismo, tomar su cruz y seguir a Cristo es una aventura tan emocionante y desafiante que llegará a ser la prioridad más importante de su vida.
- Comprenderá lo que significa permanecer en Cristo y experimentará la paz, la seguridad y el propósito que conlleva permanecer en Cristo.
- Experimentará la seguridad y confianza que proviene de vivir en la Palabra. Desarrollará nuevas habilidades para estudiar e interpretar la Biblia. El Espíritu Santo hará uso de tales habilidades para brindarle nuevas revelaciones de las Escrituras y la voluntad de Dios para su vida.
- Experimentará un poder renovado en la oración a medida que aprenda a orar con fe.
- Experimentará una relación personal más profunda

con otros creyentes. El trato suyo con familiares y amigos se enriquecerá a medida que usted perfeccione su capacidad para expresar el amor de Cristo a los demás.
- Descubrirá el gozo de testificar de Cristo a los demás, ya sea a través de su manera de vivir o de lo que diga.
- Experimentará la satisfacción de invertir de sus propios talentos en los demás a fin de ministrar a las necesidades de ellos.
- Observará que las actitudes que caracterizan a Cristo se desarrollan en su vida en forma natural y espontánea. Tales actitudes incluyen:
—humildad y actitud de servicio;
—dependencia de Dios;
—amor por la gente, especialmente los hermanos en la fe;
—confianza en Dios y usted mismo;
—certeza de la presencia de Dios mediante su orientación personal;
—el deseo de servir a Dios y a los demás;
—interés por los inconversos;
—fe que se profundiza más y más;
—gozo sobreabundante;
—fidelidad constante;
—reconocimiento de la obra de Dios a través de la iglesia;
—compañerismo con miembros de su familia;
—un espíritu de oración.

## LAS SEIS DISCIPLINAS BÁSICAS DEL DISCÍPULO

A medida que desarrolle una relación personal más profunda con Jesucristo, experimentará que Él lo guía a adquirir las seis disciplinas bíblicas del discípulo, las cuales son:
- dedicarle tiempo al Maestro;
- vivir en la Palabra;
- orar con fe;
- tener comunión con los creyentes;
- testificar al mundo;
- ministrar a otros.

## EL PROCESO DE *VIDA DISCIPULAR*

*Vida discipular 1: La cruz del discípulo* es parte de un proceso de discipulado de 24 semanas. Al estudiar los cuatro libros de *Vida discipular* usted habrá adquirido la información y las experiencias que necesita para ser un discípulo de Cristo. Cada libro se afirma en el contenido del otro y se recomienda como requisito preliminar para estudiar el libro siguiente. Estos libros se diseñaron para estudiarse en sesiones de grupo. Las experiencias que usted tenga al estudiar *Vida discipular* le cambiarán la vida y es importante que dialogue sobre dichas experiencias con su grupo.

## CÓMO ESTUDIAR ESTE LIBRO

Se espera que durante cinco días por semana, usted estudie un segmento del material que hay en este libro y complete las actividades correspondientes. Posiblemente necesite dedicar 20 ó 30 minutos cada día. Aunque vea que puede estudiar el material en menos tiempo, es mejor que lo estudie en cinco días y así le dará tiempo para aplicarlo a su vida.

Notará que antes de las diversas tareas aparecen figuras que representan disciplinas.

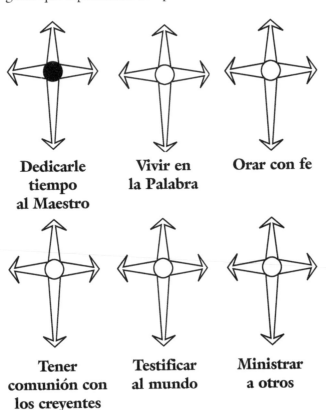

**Dedicarle tiempo al Maestro**

**Vivir en la Palabra**

**Orar con fe**

**Tener comunión con los creyentes**

**Testificar al mundo**

**Ministrar a otros**

Estas figuras relacionan ciertas actividades con las seis disciplinas que usted aprende a incorporar a su vida como discípulo. Tales actividades son parte de sus tareas semanales, de las cuales se da una idea general en la sección "Mi andar con el Maestro en esta semana". Dichas figuras diferencian sus tareas semanales de las actividades relacionadas con su estudio para un día en particular.

Seleccione un horario y un lugar para estudiar con poca interrupción. Mantenga una Biblia a mano para buscar los pasajes indicados. Memorizar las Escrituras es una parte importante de su trabajo. Separe una parte de su tiempo de estudio para la memorización. Todos los pasajes de *Vida discipular* que se citan son de la versión *Reina-Valera, 1960*. No obstante, usted puede memorizar los versículos de cualquier versión de la Biblia.

Tras completar las tareas de cada día, consulte el comienzo del material de esa semana. Si usted completó una actividad que corresponde a la indicada en la sección "Mi andar con el Maestro en esta semana", trace una línea vertical en el diamante que está junto a la actividad. Durante la siguiente sesión del grupo, otro miembro verificará su trabajo y trazará una línea horizontal en el diamante, para formar una cruz en cada diamante. Tal proceso confirmará que usted completó la tarea de cada día. Podrá ocuparse de las tareas a su propio ritmo, pero asegúrese de terminarlas antes de la próxima sesión del grupo.

## LA CRUZ DEL DISCÍPULO

En la página 136 encontrará un diagrama de *la cruz del discípulo*. Dicha cruz, que ilustra las seis disciplinas bíblicas básicas del discípulo, será el punto central para todo lo que usted aprenda en este libro. Cada semana estudiará una porción adicional de la cruz del discípulo y aprenderá los versículos bíblicos que integran tal porción. Al estudiar la segmentos semanales, puede que sea útil referirse al dibujo completo. Al finalizar el estudio usted podrá explicar el diagrama de la cruz en sus propias palabras y recitar los versículos que integran cada porción. Usted puede aprender a vivir la experiencia de la cruz del discípulo de manera que muestre que usted es su seguidor de Cristo.

# *Permanecer en Cristo*

Este estudio bíblico lo ayudará a entender lo que significa permanecer en Cristo y le dará una oportunidad para asumir ese compromiso. Lea el pasaje de Juan 15:1-17. Luego responda el siguiente cuestionario. Más tarde estudiará la fase 1 con otra persona, la fase 2 con otras tres personas y la fase 3 con otras siete personas.

**FASE 1**
**El pasaje de Juan 15:1-17 (marque uno):**
❑ me desafía ❑ me confunde
❑ me alienta ❑ me atemoriza
❑ me refresca ❑ me limita
❑ otra opinión: _____

**Al leer Juan 15:1-17, imagine que Jesús le habla a usted directamente. Él le dice (marque los pensamientos que correspondan):**
❑ "Te amo" (v. 9)
❑ "Te he llamado amigo" (v. 15)
❑ "Yo te elegí" (v. 16)
❑ "Te he puesto para que lleves mucho fruto" (v. 16)
❑ "Te he hablado para que tu gozo sea cumplido" (v. 11)

**¿Qué diría acerca de lo que dijo Jesús sobre usted? Marque una frase:**
❑ ¡Gloria a Dios!
❑ Señor, seguramente no te refieres a mí.
❑ Realmente no soy digno de eso.
❑ ¡Qué maravilla! Sigamos adelante con eso.
❑ ¿Habrá alguna traba?

**FASE 2**
**Cristo dice que si he de permanecer en su amor, debo cumplir sus ordenanzas. Por eso opino que (Marque una frase):**
❑ Él trata de sobornarme para que yo lo obedezca.
❑ Él me revela su secreto para permanecer en el amor del Padre.
❑ Me pide demasiado.
❑ Él no me ama.
❑ Realmente quiere que yo sea amigo suyo.
❑ Guardar sus ordenanzas es una gran manera de mostrarle mi amor.

**Cuando leo que Cristo me ha ordenado que lleve fruto y que mi fruto será duradero, me siento (marque dos):**
❑ agradecido
❑ inadecuado
❑ sumamente gozoso
❑ fortalecido
❑ derrotado
❑ seguro
❑ entusiasmado
❑ indiferente

**FASE 3**
**Para permanecer en Cristo, necesito:**
_____
_____
_____
_____
_____

**Jesús me habló por medio del pasaje de Juan 15:1-17. En respuesta, la próxima semana me concentraré en permanecer en Él haciendo lo siguiente:**
_____
_____
_____
_____

# *Hoja de trabajo autobiográfica*

La sesión 1 le brinda una oportunidad para que usted y los demás participantes de *Vida discipular* se conozcan entre sí. Se pedirá que usted responda las siguientes preguntas y luego lea las respuestas al grupo. La respuesta a cada pregunta no debe tomar más de un minuto.

1. **¿Cómo he llegado a ser la persona que soy? ¿Qué persona(s) o actividad(es) influyó más en mis valores?**

_____

_____

_____

_____

_____

_____

_____

3. **¿Cuál sería mi mayor dificultad o debilidad para completar este estudio?**

_____

_____

_____

_____

_____

2. **¿Qué me motivó para cursar *Vida discipular*? ¿Por qué deseo ser parte de este grupo de *Vida discipular*?**

_____

_____

_____

_____

_____

_____

# El pacto del discípulo

A fin de participar en *Vida discipular*, se le pedirá que usted se dedique a Dios y a su grupo de *Vida discipular* asumiendo los siguientes compromisos. Tal vez no pueda cumplir con la lista completa, sin embargo, al firmar este pacto, usted se compromete a adoptar tales prácticas a medida que progrese en el estudio.

## Como discípulo de Jesucristo, me comprometo a...

- reconocer cada día a Jesucristo como Señor de mi vida;
- asistir a todas las sesiones del grupo excepto que me lo impidan causas imprevistas;
- dedicar diariamente de 20 a 30 minutos a las tareas según sea necesario para completarlas;
- tener un tiempo devocional todos los días;
- mantener una Guía diaria de comunicación discipular acerca del modo en que Dios me habla y yo le hablo a Él;
- ser fiel a mi iglesia en asistencia y mayordomía;
- amar y animar a cada miembro del grupo;
- explicar mi fe a otros;
- mantener en confidencia todo lo que digan los demás en las sesiones del grupo;
- someterme voluntariamente a otros para rendir cuentas de lo que hago o no hago;
- discipular a otros a medida que Dios me dé la oportunidad;
- mantener financieramente a mi iglesia practicando la enseñanza bíblica de ofrendar;
- orar diariamente por los miembros del grupo.

Firma_____ Fecha _____

# SEMANA 1

## *Dedicarle tiempo al Maestro*

### La meta de esta semana

Evaluará su relación como discípulo y se concentrará en Cristo como centro de su vida.

### Mi andar con el Maestro en esta semana

Completará las siguientes actividades para desarrollar las seis disciplinas bíblicas. Cuando haya completado cada actividad trace una línea vertical en el diamante que está junto a la actividad.

### DEDICARLE TIEMPO AL MAESTRO
◇ Cómo tener un tiempo devocional y comenzar a tenerlo regularmente.

### VIVIR EN LA PALABRA
◇ Lea su Biblia diariamente. Escriba lo que Dios le dice y lo que usted le dice a Él.
◇ Memorice Juan 15:5.
◇ Repase Lucas 9:23, que memorizó en la sesión introductoria del grupo.

### ORAR CON FE
◇ Ore por cada miembro de su grupo de *Vida discipular* mencionándolo por nombre, por lo menos dos veces esta semana.
◇ Busque un compañero de oración para orar cada semana.
◇ Use el mapa de las necesidades mundiales para orar por la gente que hay alrededor del mundo.

### TENER COMUNIÓN CON LOS CREYENTES
◇ Conozca mejor a un miembro del grupo.

### TESTIFICAR AL MUNDO
◇ Demuestre cómo saben otros que usted es creyente.

### MINISTRAR A OTROS
◇ Explique el centro de La cruz del discípulo.

### Versículo para memorizar esta semana

*"Yo soy la vid, vosotros los pámpanos; el que permanece en mí, y yo en él, éste lleva mucho fruto; porque separados de mí nada podéis hacer"* (Juan 15:5).

# DÍA 1

## La primera prioridad

Cuando fui a estudiar a la universidad, ya hacía varios años que era creyente. Había realizado casi todo lo que me habían pedido que hiciera en la iglesia. Había diezmado, asistido a reuniones de la iglesia cinco veces a la semana, ocasionalmente había visitado a miembros en perspectiva y leía mi Biblia diariamente. Sin embargo, cuando dejé de contar con la influencia de mi familia y mi iglesia, me enfrenté con quien realmente era yo. Reconocí que tenía a Cristo como mi salvador, pero que en realidad Él no tenía el control de mi vida. Así me enfrenté a la decisión de *ser o no ser un discípulo que lo rinde todo a Cristo*. Pasé varias noches caminando por los campos cercanos a la Universidad Bautista de Oklahoma, hablándole al Señor y considerando si yo era un cristiano auténtico.

Luego comencé a buscar en las Escrituras para ver lo que implica ser un discípulo. La Biblia me indicó que un discípulo de Cristo es alguien que hace de Cristo el *Señor* de su vida. Como ya vio usted en la sesión introductoria del grupo, Lucas 9:23 dice: "Si alguno quiere venir en pos de mí, niéguese a sí mismo, tome su cruz cada día, y sígame".

Me di cuenta de que por el resto de mi vida yo sería un auténtico discípulo de Cristo o un creyente mediocre. Comencé a dar excusas, como suelen hacerlo las personas al llegar a encrucijadas en su andar con Cristo. Comencé a decirle a Dios que yo no tenía la capacidad de hacer todo lo que Él esperaba que hiciera... que muchas veces había fracasado . . . y que ni siquiera estaba seguro de que Él quería que yo fuera discípulo suyo.

En respuesta a mis excusas, Dios me mostró el pasaje de 2 Crónicas 16:9: "Porque los ojos de Jehová contemplan toda la tierra, para mostrar su poder a favor de los que tienen corazón perfecto para con él". Recordé que el evangelista D.L. Moody le había oído decir a su amigo Henry Varley: "Todavía falta ver lo que Dios hará con un hombre que se rinda enteramente a Él". Moody le respondió: "Yo seré ese hombre".[1] Si hubo un individuo que se rindió enteramente a Dios fue D.L. Moody. Con una educación de sólo tercer grado, Moody guió a cientos de miles de personas a Dios en Inglaterra y los Estados Unidos. Mi respuesta fue, "Señor, también yo quiero ser así. Quiero tener un corazón perfecto para contigo. Y luego, cualquier cosa que yo haga en mi vida, que todos sepan que tú la hiciste en mí y no que se debió a mi capacidad".

Desde entonces mi corazón no siempre ha estado en buena comunión con Dios. Sin embargo, debido al compromiso que asumí, el Espíritu Santo me revela cuando mi corazón no está en buena comunión. De inmediato lo confieso y le pido a Dios que me perdone y restaure mi corazón.

¿Voy a ser un discípulo que lo rinde todo a Cristo?

"Señor, quiero tener un corazón perfecto para contigo".

Así fue como me decidí a ser un auténtico discípulo de Cristo y a consagrarme a una relación de obediencia a Él para toda la vida. Al principio dije: "Obedeceré a Dios y haré cualquier cosa que Él quiera que yo haga; confiaré en Dios para que Él logre a través de mi vida cualquier cosa que desee". Los compromisos que asumí durante el año siguiente marcaron el curso de mi vida entera. A partir de ese día, Dios comenzó a revelarse a mí y a enseñarme cómo andar con Él. Al mirar atrás puedo decir que cualquier cosa que he logrado en mi vida ha sido porque Dios lo hizo.

**El presente estudio le brinda una oportunidad para volver a evaluar su relación con Cristo.**

Este estudio le brinda una oportunidad para volver a evaluar su relación con Cristo. Lo ayudará a examinarse como discípulo y a dar los pasos para seguirlo a Él. En el transcurso de su estudio de *Vida discipular*, le contaré cómo Cristo siguió revelándose y qué significa ser discípulo suyo. Mientras yo testifico de cómo me ayudó Cristo en mi peregrinaje como estudiante, pastor y misionero, y al contarles testimonios de otros creyentes, confío que usted aprenderá los conceptos para realmente dominar la vida que Cristo viva a través de usted. Espero que aprenda lo que significa la vida en Cristo.

## ¿QUÉ ES UN DISCÍPULO?

Comenzaremos este estudio examinando qué es y qué hace un discípulo. El Nuevo Testamento usa el término *discípulo* de tres maneras. Primero, es un término general que se usa para describir a un seguidor comprometido con un maestro o un grupo.

*"Y los discípulos de Juan y los de los fariseos ayunaban; y vinieron, y le dijeron: ¿Por qué los discípulos de Juan y los de los fariseos ayunan, y tus discípulos no ayunan?" (Marcos 2:18).*

**Lea Marcos 2:18 en el margen. El versículo menciona tres grupos o individuos que tienen discípulos. ¿Quiénes son?**

1._____

2._____

3._____

Las personas o grupos que tenían discípulos eran Juan, los fariseos y Jesús. Tales discípulos eran seguidores comprometidos con esos maestros o grupos.

Segundo, en el Nuevo Testamento Lucas 6:13 usa el término *discípulo* para referirse a los doce apóstoles que llamó Jesús. El pasaje de Marcos 3:14-15 (en el margen), es muy específico acerca de la razón por la que Jesús llamó a esos apóstoles.

*"Y estableció a doce, para que estuviesen con él, y para enviarlos a predicar y que tuviesen autoridad para sanar enfermedades y para echar fuera demonios" (Marcos 3:14-15).*

**En Marcos 3:14-15 subraya las frases que demuestren dos razones por las que Jesús eligió a los doce discípulos.**

Probablemente usted haya subrayado las frases "que estuviesen con él" y "enviarlos a predicar".

Jesús también usó la palabra *discípulo* para describir a un seguidor que cumple los requisitos que Él establece. Por ejemplo, Jesús dijo que sus discípulos debían aborrecer (o estimar menos que a Él) a sus familias, sus posesiones o cualquier cosa que pudiera impedirles que lo siguieran.

Lea estos versículos: **"Grandes multitudes iban con él; y volviéndose les dijo: Si alguno viene a mí, y no aborrece a su padre, y madre, y mujer, e hijos, y hermanos, y hermanas, y aun también su propia vida, no puede ser mi discípulo. Y el que no lleva su cruz y viene en pos de mí, no puede ser mi discípulo"** (Lucas 14:25-27). En sus propias palabras escriba lo que Jesús dijo cuando la gente comenzó a seguirlo.

_____

_____

Probablemente usted haya escrito algo como: Al establecer primeramente los requisitos para ser discípulo, Jesús desalentaba a quienes no se comprometían plenamente a él para seguirlo. Lucas 9:23, el versículo que espero usted haya memorizado en la sesión introductoria de su grupo, también establece tales requisitos.

 **Escriba Lucas 9:23, dos o tres veces, en el margen.**

Usted ha visto que el término _discípulo_ es una expresión general para describir a un seguidor comprometido con un maestro o un grupo, uno de los doce apóstoles de Cristo y un seguidor que cumple los requisitos que Él establece.

## ESTUDIEMOS LA CRUZ DEL DISCÍPULO

Una de las maneras de aprender más acerca de lo que Jesús planeaba para sus discípulos es estudiar el diagrama de La cruz del discípulo, verdadera piedra angular de este estudio. Podrá ver el diagrama completo de la cruz en la página 136 y leer la presentación de la misma en las páginas 134 a 136. Cuando usted haya aprendido bien el diagrama de la cruz, podrá usar el concepto de diversas maneras. Puede ayudarlo a reflexionar en su relación como discípulo. Se puede usar para testificar o para evaluar su iglesia. Hay muchas iglesias que usan La cruz del discípulo para organizar sus ministerios.

Al avanzar en el estudio de este libro, usted examinará los diversos elementos de La cruz del discípulo. Cada semana aprenderá algo nuevo. Al finalizar el estudio podrá explicar el diagrama de la cruz con sus palabras y citar de memoria todos los pasajes bíblicos que lo acompañan.

**Comience a aprender el diagrama de La cruz del discípulo dibujando un círculo, en el margen, que lo represente a usted. Dicho círculo lo ayudará a concentrarse en las maneras en que Cristo ha de ser el centro de su vida.**

Jesús dijo que sus discípulos debían aborrecer (o estimar menos que a Él) a sus familias, sus posesiones o cualquier cosa que pudiera impedirles que lo siguieran.

Una de las maneras de aprender más acerca de lo que Jesús planeaba para sus discípulos es estudiar La cruz del discípulo.

## GUÍA DIARIA DE COMUNIÓN CON EL MAESTRO

MATEO 6:25-34

**Qué me dijo Dios:**

_____

_____

_____

_____

_____

_____

_____

**Qué le dije yo a Dios:**

_____

_____

_____

_____

_____

_____

_____

_____

_____

_____

El círculo vacío que usted dibujó representa su vida. Ilustra el hecho de negarse totalmente a uno mismo para seguir a Cristo. Eso no significa que usted pierda su identidad, sino que renuncie a su egoísmo. Ninguno que no quiera negarse a sí mismo puede ser discípulo. Cristo debe ser la prioridad número uno de su vida.

### PONGA A CRISTO EN PRIMER LUGAR

Cuando Kay Moore (que escribió este libro conmigo) y su esposo Louis se casaron, le pidieron a su pastor que les hiciera una ceremonia nupcial muy personal. En conocimiento de que la carrera laboral era muy importante tanto para la novia como para el novio, el pastor quiso que ellos mantuvieran en orden sus prioridades. En la ceremonia nupcial les advirtió sabiamente "en su matrimonio, el primer compromiso de ambos es para con Cristo, el segundo para con el otro, el tercero para todo hijo que hayan concebido y el cuarto es para con el trabajo".

Si alguien le hiciera a usted una advertencia similar con respecto a las prioridades suyas, ¿qué elementos habría en su lista? ¿Tiene usted alguna prioridad más importante que Cristo? Quizás para algunos, la prioridad dominante es la afición a un deporte, para otros puede ser la adquisición de posesiones materiales. Incluso, para otros puede que sea la participación en actividades religiosas. ¿Actividades religiosas?, tal vez se pregunte. ¿Acaso eso no significa que Cristo sea el primero para mí? No siempre. Algunas personas pueden estar tan ocupadas en las actividades de la iglesia que quizás olviden la verdadera razón de sus actividades. Puede que la relación de esas personas con Cristo ocupe un lugar de menor importancia en comparación al deseo que tengan de ser reconocidas por sus buenas obras o su impulso interior para lograr algo.

**Escriba una lista con las tres prioridades más importantes de su vida.**

1._____

2._____

3._____

Si no está dispuesto a que Cristo sea su prioridad número uno, usted no puede ser su discípulo. Deténgase y ore pidiéndole a Dios que elimine todo obstáculo que impida que Él tenga el primer lugar en la vida suya. ¿Qué necesita hacer para darle a Él el primer lugar? Describa un paso que usted dará para eliminar un obstáculo a fin de que Cristo tome el primer lugar en su vida.

 **Comience la práctica diaria de leer su Biblia. Hoy lea Mateo 6:25-34, que es un pasaje acerca de las prioridades. Después de leerlo, complete la Guía diaria de comunión con el Maestro en el margen.**

# DÍA 2

## Bajo el señorío de Cristo

**S**i usted lucha con la cuestión de las prioridades, tal vez crea que es un creyente fuera de lo corriente. Su familia, su trabajo y demás responsabilidades requieren gran parte de su tiempo. Quizás piense que a las generaciones anteriores les era más fácil concentrarse en Cristo y cumplir los requisitos del discipulado porque sus vidas eran más sencillas.

Si eso era cierto, entonces ¿por qué Jesús necesitó recordarle a sus discípulos, hace 2.000 años, que le debían lealtad suprema a Él? El pasaje, en el margen, de Lucas 14:26-27;33 afirma que sus seguidores deben amarlo más que a cualquier otra persona, posesión o propósito.

**Lea el pasaje bíblico del margen. Trace un círculo alrededor de las porciones que enseñan que Cristo debe tener prioridad sobre las siguientes áreas de la vida. Trace una línea desde la parte del versículo que corresponde a cada área de la vida. He marcado la primera como ejemplo.**

> Persona
> Posesión
> Propósito

Está claro que en los tiempos de Jesús tales áreas preocupaban tanto como en nuestros días. En el ejercicio anterior, las respuestas correctas son: Posesión: "Cualquiera de vosotros que no renuncia a todo lo que posee, no puede ser mi discípulo". Propósito: "Y el que no lleva su cruz y viene en pos de mí, no puede ser mi discípulo". El propósito supremo es que uno lleve su cruz cada día, lo cual glorifica a Dios. Una de las mejores maneras de expresar que uno lleva su cruz es el compromiso voluntario para con la obra del reino, que uno sabe que es costosa.

### LAS PRIORIDADES DE UN DISCÍPULO

Los discípulos de Cristo tuvieron que aprender poco a poco, al igual que nosotros. Sus seguidores a veces ponían sus propias necesidades e inquietudes egoístas por encima de Él. Tres de ellos prefirieron dormir en vez de acceder al pedido de Cristo de velar y orar con Él en el huerto de Getsemaní. Los discípulos discutieron quién de ellos sería el más importante en el reino del Señor. Cuando Jesús fue arrestado, sus seguidores huyeron y uno de los más cercanos a él, lo negó. ¿Cuál fue la primera prioridad de los discípulos en tales ocasiones?

Sin embargo, Jesús no se dio por vencido y, tras su muerte y resurrección, la vida de ellos cambió drásticamente. El pasaje de Hechos 4:18-37 demuestra que los discípulos del Señor lo amaban más que a cualquier otra persona, posesión o propósito en su vida. Jesús nunca

**Sus seguidores deben amarlo más que a cualquier otra persona, posesión o propósito.**

*"Si alguno viene a mí, y no aborrece a su padre, y madre, y mujer, e hijos, y hermanos, y hermanas, y aun también su propia vida, no puede ser mi discípulo. Y el que no lleva su cruz y viene en pos de mí, no puede ser mi discípulo. [...] Así, pues, cualquiera de vosotros que no renuncia a todo lo que posee, no puede ser mi discípulo"* (Lucas 14:26-27, 33).

## GUÍA DIARIA DE COMUNIÓN CON EL MAESTRO

### HECHOS 4:18-37

**Qué me dijo Dios:**

_____

_____

_____

_____

_____

_____

_____

**Qué le dije yo a Dios:**

_____

_____

_____

_____

_____

_____

_____

dejó de ocuparse de ellos para transformarlos en su propia semejanza. Tal como ellos, usted puede comenzar a crecer ahora, sin importar en qué etapa del discipulado se encuentre.

Continúe la práctica diaria de leer su Biblia. Hoy lea Hechos 4:18-37 y pídale a Dios que le hable. Luego complete la Guía diaria de comunión con el maestro en el margen. Ore por lo que usted le responderá a Dios. En la sección "Qué le dije yo a Dios" escriba un resumen de su oración.

El pasaje que acaba de leer indica que los discípulos del Señor lo amaban más que a cualquier otra persona, posesión o propósito. ¿Puede usted decir lo mismo sobre su relación con Cristo? Aplique el pasaje a su vida. Mencione a cualquier persona o cosa que actualmente tenga una prioridad mayor en su vida que la de Cristo.

**Persona:** _____

**Posesión:** _____

**Propósito:** _____

El primer día, cuando usted comenzó a dibujar La cruz del discípulo, aprendió que Cristo debe ser su prioridad principal al rellenar el círculo de su vida mientras se concentra en Él. Tal prioridad es necesaria para una relación de obediencia con Cristo durante toda la vida.

## CRISTO EN EL CENTRO

Rodolfo se enorgullecía del trabajo que hacía en la iglesia. Todos los sábados acomodaba las sillas para el culto de adoración del domingo. El actuaba como presidente de una comisión de la iglesia, estaba a cargo de un estudio bíblico semanal y colaboraba con todas las actividades juveniles. Rodolfo pensaba que si trabajaba mucho en la iglesia, lo apreciarían y elogiarían. Cuando la gente le expresó a Rodolfo su admiración por sus eficientes esfuerzos para la iglesia, resplandeció de orgullo. En poco tiempo, Rodolfo dependió tanto de los elogios de los demás que llegó a olvidar la verdadera razón de su servicio. Pensó que su fiel servicio a la iglesia representaba su obediencia a Cristo, pero sus prioridades se habían desordenado: su relación con Cristo había ocupado un segundo lugar.

**Si Rodolfo dibujara un círculo que representara su vida, ¿qué nombre le parece a usted que aparecería en el centro del círculo?**

_____

**¿Cuál parece ser la motivación detrás del trabajo de Rodolfo?**

_____

Al estudiar el caso de Rodolfo, lo que parecía ser un servicio de obediencia a Cristo en realidad era un servicio a sí mismo. En lugar de hacer buenas obras en nombre de Cristo para servir a otros, Rodolfo servía para merecer la aprobación de los demás. Podría decirse que en el centro de su círculo estaba Rodolfo y no Cristo. Uno puede llegar a reconocer que el punto central de su vida es uno mismo en lugar de Cristo. Puede que sea una revelación sorprendente, pero respecto a ese asunto es muy importante ser honesto con uno mismo y con Dios.

**Deténgase y ore. Pídale a Dios que le revele cómo lo motivan otras personas, posesiones o propósitos en lugar de su amor por Él.**

¿Quién o qué lo motiva a usted?

_____

_____

**Si escribió cualquier otra cosa o persona además de su amor por Jesucristo, confiese en oración que deseos impuros controlan su vida. Luego escriba los pasos que dará para entregar el control absoluto de su vida a Cristo.**

_____

_____

Para ser discípulo de Cristo, es necesario entregarle a Él cada área de su vida. *Vida discipular* lo ayudará en ese proceso.

 **Ore por cada miembro de su grupo de *Vida discipular* mencionándolos por su nombre. Consulte el Pacto del discípulo de la página 9 para recordar el nombre de cada uno.**

> **Uno puede llegar a reconocer que el punto central de su vida es uno mismo en lugar de Cristo. Puede que sea una revelación sorprendente.**

> **Para ser discípulo de Cristo, usted necesita entregarle a Él cada área de su vida.**

### DÍA 3

# *Unidos a la vid verdadera*

Quizás piense: *Hasta ahora todo va bien. Quiero tener a Jesús en el centro de mi vida. Quiero ajustar mi relación con cualquier otra persona, cosa o propósito que tenga una prioridad más importante que Cristo. Sin embargo, me distraigo, me ocupo demasiado y me olvido de Él. A veces espero que el agua me llegue al cuello para invocar al Señor. ¿Qué debo hacer para que Cristo sea la primera prioridad de mi vida, para recurrir a Él en primer lugar? ¿Cómo ser obediente a Él durante toda la vida?*

*"Yo soy la vid, vosotros los pámpanos; el que permanece en mí, y yo en él, éste lleva mucho fruto; porque separados de mí nada podéis hacer"* (Juan 15:5).

*"¿Por qué me llamáis Señor, Señor, y no hacéis lo que yo digo?"* (Lucas 6:46).

*"En esto es glorificado mi Padre, en que llevéis mucho fruto, y seáis así mis discípulos"* (Juan 15:8).

*"Un mandamiento nuevo os doy: Que os améis unos a otros; como yo os he amado, que también os améis unos a otros. En esto conocerán todos que sois mis discípulos, si tuviereis amor los unos con los otros"* (Juan 13:34-35).

1. _____

2. _____

3. _____

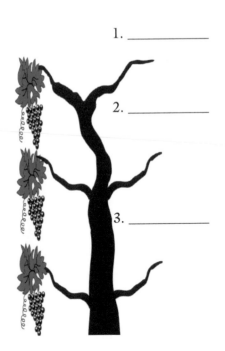

## PERMANEZCAMOS EN CRISTO

El secreto del discipulado es el señorío. Cuando usted reconoce verdaderamente a Cristo como señor de toda área de su vida, Él vive en usted en la plenitud de su Espíritu. Le brinda lo necesario para que usted sea como Él y cumpla su voluntad.

 **En el margen lea Juan 15.5, su versículo para memorizar esta semana, y complete esta oración:**

**Si Cristo no vive en usted y usted no vive en Él, ¿qué puede hacer para llevar fruto?_____.**

Tal vez intente hacerlo por su cuenta. Puede que quiera aplicar sus propias soluciones o las del mundo. Quizás haga buenas obras para satisfacer su egoísmo o para complacer a otros. Sin embargo, la victoria es de Él. Nada puede hacer para llevar frutos sin Él.

**Jesús dijo que tres cosas caracterizarán su vida cuando Él viva en usted y usted viva en Él. Lea los pasajes bíblicos en el margen. Identifique esas tres cosas con los versículos correspondientes.**

     1. Lucas 6:46         a. obediencia
     2. Juan 15:8          b. amor
     3. Juan 13:34-35     c. fruto

Cuando Él viva en usted y usted viva en Él, su obediencia, amor y fruto serán evidentes para los que estén alrededor suyo. Las respuestas correctas son 1. a, 2. c, 3. b. Recuerde esas tres cosas al colocarlas en orden: el amor produce obediencia y la obediencia produce fruto.

**En el diagrama del margen escriba las palabras *obediencia, amor* y *fruto* en el orden correcto.**

## LA VIDA EN CRISTO

Según lo destaca el versículo para memorizar, ¿qué hace para permanecer en la vid? ¿Qué hace para que Cristo sea el centro de su vida cristiana? Sea constante dedicándole diariamente tiempo a su devocional. Así podrá consagrarle tiempo al Padre y permanecer unido a la vid. Evite toda distracción y conságrele esa parte del día completamente a Él. Si aún no lo hace así, comience a tener un tiempo devocional diario con Dios en forma regular y constante.

Las dos cosas que más lo ayudarán a crecer como cristiano son el tiempo devocional y la memorización de las Escrituras. Parte del discipulado requiere separar de 15 a 20 minutos diarios para dedicarle tiempo a Jesucristo, quien es el centro de su vida.

**He aquí algunas pautas para tener un devocional constante. Al leer, escriba las decisiones que tome acerca de su devocional personal. Planee explicarle a otra persona la importancia de un tiempo devocional.**

## CÓMO TENER UN TIEMPO DEVOCIONAL

1. Procure que el devocional personal sea la prioridad más importante de su día.
   - Escoja un tiempo, apropiado a su horario, para dedicárselo a Dios. Generalmente se prefiere la mañana, aunque quizás necesite o prefiera otro horario.

**Mi devocional es/será cada día a las** _____.

2. Prepárese la noche anterior.
   - Si su devocional es por la mañana, programe su reloj despertador. Si es difícil para usted despertarse, planee ejercitarse, ducharse, vestirse y desayunar antes de su devocional.
   - Elija un sitio adonde pueda estar solo. Reúna los materiales que necesitará, como su Biblia, cuaderno y un lápiz y colóquelos en el lugar elegido para no perder tiempo.

**El lugar para mi devocional es/será** _____.

3. Desarrolle un plan equilibrado de lectura bíblica y oración.
   - Ore para que sea guiado durante su devocional.
   - Siga un plan sistemático para leer la Biblia. Este estudio le sugiere la lectura de pasajes bíblicos para cada día. Más adelante, espero que desarrolle su propio plan. Tal vez quiera seguir el plan de *Día a día en el reino de Dios: Diario del discipulado.*[2] Dicho diario sugiere lecturas bíblicas y versículos para memorizar y, además, tiene espacio para escribir lo que usted experimente en su devocional.
   - Tome nota de lo que Dios le diga a través de su Palabra. (Para comenzar use los encabezados del margen "Qué me dijo Dios" y "Qué le dije yo a Dios").

 **Para el pasaje bíblico de hoy lea Lucas 10:38-42. Escriba sus respuestas en la Guía diaria de comunión con el maestro, al margen.**

   - Ore en respuesta al pasaje bíblico que ha leído.
   - Mientras ora, utilice los diversos elementos de la oración. Por ejemplo: adoración, confesión, acción de gracias y súplica. Determine la mejor forma de recordar esos cuatro elementos.

**Escriba los elementos de la oración:**

1. _____

2. _____

3. _____

4. _____

---

# GUÍA DIARIA DE COMUNIÓN CON EL MAESTRO

## LUCAS 10:38-42

**Qué me dijo Dios:**

_____

_____

_____

_____

_____

_____

_____

_____

**Qué le dije yo a Dios:**

_____

_____

_____

_____

_____

_____

_____

_____

_____

**Con insistencia se logra la constancia.**

> 4. Con insistencia se logra la constancia.
> - Dé más importancia a la regularidad que a la cantidad de tiempo dedicada. Procure todos los días dedicar algunos minutos a su devocional, en lugar de tener largos devocionales cada dos días.
> - No se sorprenda con las interrupciones. Satanás tratará de evitar que usted le dedique tiempo a Dios. El maligno le teme incluso a los cristianos más débiles que permanecen de rodillas. Busque cómo resolver sus interrupciones en lugar de dejar que las mismas lo frustren.
>
> **Marque los días en que tenga su devocional esta semana.**
> ❏ **Lunes** ❏ **Martes** ❏ **Miércoles** ❏ **Jueves** ❏ **Viernes** ❏ **Sábado** ❏ **Domingo**
>
> 5. Concéntrese en quién se reúne con usted en lugar de concentrarse en el hábito de tener un devocional. Si estuviera planeando una reunión con la persona que más admira, no se permitiría ningún obstáculo. Reunirse con Dios es aún más importante. Él lo creó con la capacidad necesaria para tener comunión con Él, y lo salvó para establecer tal comunión.

**Concéntrese en quien se reúne con usted.**

ESTUDIAR EL DIAGRAMA DE LA CRUZ DEL DISCÍPULO
Concéntrese ahora en el diagrama de La cruz del discípulo. La vida en Cristo es Cristo viviendo en usted. Juan 15:5 dice: "Yo soy la vid, vosotros los pámpanos; el que permanece en mí, y yo en él, éste lleva mucho fruto; porque separados de mí nada podéis hacer". ¿Qué podemos hacer separados de Cristo? ¡Nada!

**Nuevamente dibuje un círculo en el margen. Escriba *Cristo* en el centro y debajo de *Cristo* escriba *Juan 15:5*, su versículo para memorizar esta semana. Así recordará dicha idea central del discipulado.**

Cristo dijo que Él es la vid y nosotros somos las ramas (pámpanos). Las ramas son parte de la vid. Somos parte de Cristo. Él quiere vivir su vida a través de nosotros.

**¿Es ésta la clase de vida que usted quisiera tener? ❏ Sí ❏ No Describa qué debe hacer para que Cristo viva en usted de esa manera.**

_____

_____

Puede que usted haya respondido algo así: *Necesitaría dejar de mirar televisión hasta muy tarde por la noche para tener mi devocional a la hora de acostarme o para levantarme más temprano y tener mi devocional por la mañana.* O bien, *necesitaría abandonar ciertos vicios para ser mejor ejemplo de que Cristo vive en mí.* No importa lo que usted haya respondido, recuerde la afirmación de Cristo en Juan 15:5: "Separados de mí nada podéis hacer". No dice que puede hacer ciertas cosas, sino que en definitiva, separado de Cristo usted nada puede hacer.

**Deténgase y ore. Pídale a Dios que quite las piedras de tropiezo que le impidan mantenerse en comunión con Él.**

 **Continúe memorizando Juan 15:5, el versículo para memorizar esta semana. Repita el versículo en voz alta, de memoria, de una a tres veces.**

Aprender el versículo para memorizar es una parte importante de *Vida discipular* porque la memorización de las Escrituras es vital para vivir como discípulo de Cristo. Así podrá recordar versículos memorizados cuando los necesite para fortalecerse y para luchar contra la tentación.

Orar es otra forma de permanecer en Cristo. Busque un compañero de oración si todavía no lo tiene, uno que no sea de los miembros de su grupo de *Vida discipular.* Ore con su compañero cada semana. Podrán reunirse para orar o podrán orar por teléfono. Escriba en el margen las iniciales de una persona que pueda ser su compañera de oración. Mañana escribirá el nombre de la persona que haya seleccionado.

 **Ore por cada miembro de su grupo de *Vida discipular* mencionándolos por su nombre. Consulte el pacto del discípulo de la página 9 para recordar el nombre de cada miembro.**

> **La memorización de las Escrituras es vital para vivir como discípulo de Cristo.**

## DÍA 4

*Aprender a obedecer*

Una vez hubo una pareja de la iglesia, donde yo era pastor, que estuvo en desacuerdo conmigo y expresaron verbalmente que yo les desagradaba. Procuré infructuosamente reconciliarme con ellos. Finalmente tuve que decirles: "Realmente quiero ser el pastor de ustedes. Valoro mi relación con Dios más que cualquier cosa en el mundo. Para mantenerme en buena relación con Él, no puedo darme el lujo de tener nada contra ustedes. Los amaré sin importar lo que ustedes piensen de mí".

> **"Valoro mi relación con Dios más que cualquier cosa en el mundo".**

Escriba otras respuestas que yo podría haber escogido y que no expresaran mi obediencia u honra a Cristo.

_____

Podría haber escogido varias opciones que no honrarían a Cristo. Podría haberme enfrentado a la pareja con ira. Podría haber dicho a los demás cosas ásperas sobre ellos. Los podría haber presionado para que se fueran de la iglesia.

**Cuando usted tiene vida en Cristo, un resultado natural es su relación de obediencia para toda la vida.**

Podría haber sido tentado a escoger cualquiera de esas opciones. Sin embargo, con el tiempo, me alegró mantenerme unido a la vid y depender de mi relación con Cristo como el poder orientador de mi vida. La pareja que había estado enfadada conmigo permaneció en la iglesia, y luego se convirtió su hija y fue bautizada. Debido a que obedecí a Cristo y me mantuve en buena relación con Él, mi modo de responder a esa pareja llevó su fruto más tarde.

**Deténgase y repase lo que recién estudió acerca de la obediencia.**

**La clave del discipulado es obediencia a los _____ de Cristo.**

**Busque los siguientes versículos y trace una línea entre la cita y las ventajas de obedecer los mandamientos de Cristo.**
___ 1. Juan 15:10     a. Usted demuestra que es discípulo de Él
___ 2. Juan 14:21     b. Usted es bendecido
___ 3. Juan 13:34-35     c. El Padre lo ama y se revela a usted
___ 4. Juan 13:17     d. Usted permanece en su amor

Obedecer los mandamientos de Cristo es la clave del discipulado. Cuando obedece tales ordenanzas, usted se beneficia porque permanece en su amor (1.d), porque el Padre lo ama y se revela a usted (2.c), porque usted demuestra que es discípulo de Él (3.a) y porque usted es bendecido (4.b). Cristo no quiere que lo obedezca simplemente para ser una buena persona. Él quiere que usted sea obediente para que pueda participar en la misión de Cristo.

OBEDECER LOS MANDAMIENTOS DE CRISTO
Usted pensará: _Bueno, eso suena bien. Quiero obedecer los mandamientos de Cristo. Quiero tener las ventajas que acabo de leer. Quiero tener parte en la misión de Cristo. ¿Pero cómo doy el primer paso? ¿Cómo empiezo mi proceso de obediencia?_ Para obedecer los mandamientos de Cristo hacen

**Para obedecer los mandamientos de Cristo hacen falta dos cosas: conocerlos y cumplirlos.**

falta dos cosas: conocerlos y cumplirlos. ¿Los conoce? ¿Cumple con lo que Cristo ordenó?

**Lea los siguientes versículos y escriba con sus palabras lo que Cristo desea que usted destaque.**

1. Mateo 5:19-20 _____

2. Mateo 7:21, 24-27 _____

3. Mateo 28:19-20 _____

4. Santiago 1:22 _____

La Biblia muestra muy claramente qué área desea Jesús que usted destaque. Puede que haya respondido algo así: 1. Cumplir y enseñar sus ordenanzas. 2. Cumplir su voluntad y practicar sus enseñanzas. 3. Observar todas sus ordenanzas. 4. Cumplir la Palabra.

**Describa qué paso puede dar para conocer y cumplir los mandamientos de Cristo a fin de obedecerlo.**

_____

_____

Puede que haya respondido algo así: Necesito dedicar tiempo cada día a leer la Biblia con constancia para saber qué me indican las Escrituras que debo hacer. Necesito desarrollar mi tiempo devocional para oír lo que Dios me dice a través de su Palabra. Necesito responder inmediatamente cuando leo los mandamientos de Cristo o cuando siento que su Espíritu me exhorta a obedecer una ordenanza o un pasaje bíblico en respuesta a una situación.

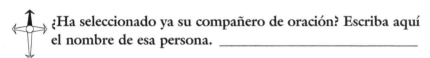 **Continúe la memorización de Juan 15:5. Diga ese versículo en voz alta a alguien de su grupo. Conozca mejor al miembro del grupo a quien usted le recitó el versículo de memoria. En el proceso de conocer mejor a esa persona, descríbale en sus palabras cómo se relaciona la obediencia con el discipulado.**

**¿Ha seleccionado ya su compañero de oración? Escriba aquí el nombre de esa persona. _____**

## HECHOS, NO PALABRAS

¿Alguna vez oyó decir que los hechos hablan más fuerte que las palabras? Tal afirmación también se aplica a su vida cristiana. Puede que usted sepa hacer lo correcto, pero ¿de qué sirve el conocimiento sin los hechos? Si usted conoce bien la Palabra de Dios, pero no hay alguna diferencia en su vida, su conocimiento es estéril. Para demostrar que usted ama a Cristo, también necesita obedecer, guardar y cumplir los mandamientos de Él.

**Deténgase y ore. Pídale a Dios que lo ayude a comenzar el hábito de lo que usted escribió para ser más obediente.**

**Para demostrar que usted ama a Cristo, también necesita obedecer, guardar y cumplir los mandamientos de Él.**

## GUÍA DIARIA DE COMUNIÓN CON EL MAESTRO

### MATEO 26:47-56

**Qué me dijo Dios:**

_____

_____

_____

_____

_____

_____

_____

_____

**Qué le dije yo a Dios:**

_____

_____

_____

_____

_____

_____

_____

_____

_____

Marque una o más de las siguientes decisiones si está listo para cumplirlas.

❑ Darle a Cristo la primera prioridad de su vida
❑ Seguir a Cristo al obedecer sus ordenanzas
❑ Permanecer en Cristo para que Él produzca su vida y su fruto en usted

Imagínese que usted vive en un país donde quieren encarcelarlo por ser cristiano. ¿Podrían probar los miembros de un tribunal de justicia que usted es cristiano? Basado en las tres opciones anteriores, ¿qué evidencia verían en su vida?

_____

_____

_____

_____

Una forma para demostrar que es cristiano es seguir la ordenanza de Cristo de Mateo 28:19-20, la máxima demostración de que uno lleva fruto: "Por tanto, id, y haced discípulos a todas las naciones, bautizándolos en el nombre del Padre, y del Hijo, y del Espíritu Santo; enseñándoles que guarden todas las cosas que os he mandado; y he aquí yo estoy con vosotros todos los días, hasta el fin del mundo". Si usted sigue los mandamientos de Cristo, conocerá las necesidades del mundo y orará diariamente por esas necesidades.

Estudie un mapa del mundo (véase el de la página 137) o un globo terráqueo y úselo para orar cuando escuche noticieros, lea periódicos y revistas informativas y lea publicaciones cristianas tales como la revista *The Commission*.[3] Cuando sepa de personas que están en crisis y necesitan del Señor, ore inmediatamente por ellos como si fuera en una conversación constante con Cristo.

Continúe la práctica diaria de su devocional. Para la lectura bíblica utilice Mateo 26:47-56, que es un pasaje acerca de la obediencia absoluta. Después de leer dicho pasaje, complete la Guía diaria de comunión con el maestro en el margen.

# DÍA 5

## Los desafíos a la obediencia

Cuando estuvimos en los Estados Unidos en 1977, durante una licencia de nuestra misión en Indonesia, visité muchas iglesias que se veían indiferentes y demostraban escasa vitalidad en su adoración y ministerio. Eso ocurrió durante una época en la que nuestra denominación se había comprometido a reclutar 50.000 voluntarios para viajes misioneros de corto plazo en el extranjero. Al verificar la escasa evidencia del señorío de Cristo en dichas iglesias, no pude imaginar que exportaría tal indiferencia a otros países.

Dios me habló de un modo especial y me orientó a regresar a los Estados Unidos y hacer discípulos para que nuestra denominación pudiera cumplir con el compromiso de predicar el evangelio a toda persona en el mundo. Debido a mi compromiso con mi trabajo como misionero y la obra que había comenzado como presidente del Seminario Teológico Bautista Indonesio, tenía mucha dificultad para entender por qué Dios me llamaba para radicarme en los Estados Unidos por tiempo indefinido, cuando yo era misionero en el quinto país más grande el mundo. Semana tras semana escribí en mi diario: "Señor, ¿qué tratas de decirme?" Durante los ocho meses siguientes luché con Dios por ese asunto.

Al predicar acerca de Pedro, cuando se le ordenó que comiera animales inmundos que descendían en un gran lienzo (véase Hechos 10), comencé a ver en ese lienzo las iglesias muertas donde yo había predicado. A pesar de que sentía que el Señor me decía "Levántate y come", le dije a Dios que no quería tomar parte en iglesias ya muertas y que deseaba regresar a Indonesia. Respondí "A la puerta de Pedro vinieron tres hombres a decirle lo que debía hacer, ¡y yo no tengo a nadie!"

Inmediatamente, tres hombres me pidieron que hiciera cosas relacionadas con mi lucha. Nuestro pastor, Tom Ellif, me pidió que tradujera *Vida discipular* al inglés para adiestrar a su personal. Roy Edgemon, el director del ministerio discipular de nuestra editorial denominacional, me preguntó si yo podría adaptar *Vida discipular* para una audiencia de habla inglesa. Un tercer hombre, Bill Hogue, director del programa evangelístico de nuestra denominación, me pidió que colaborara para diseñar un plan para adiestrar a los creyentes para testificar. Durante varios meses más seguí luchando, pero finalmente Dios me habló muy claramente sobre ese asunto, así como sobre otros planes, tales como estimular el avivamiento espiritual y preparar a su pueblo para ir al campo misionero. A pesar de que me entristeció muchísimo alejarme de Indonesia, supe que debía obedecer si quería enseñarle a otros cómo ser discípulos obedientes.

**Supe que debía obedecer si debía enseñarle a otros cómo ser discípulos obedientes.**

*"[...]porque Dios es el que en vosotros produce así el querer como el hacer, por su buena voluntad" (Filipenses 2:13).*

## NUESTRO COMPROMISO PARA OBEDECER

Tal vez usted sea como yo. No es tan obediente como pudiera o debiera serlo. Tal vez dé excusas para no ser obediente, como lo hice yo. Sin embargo, lea Filipenses 2:13 en el margen. Cristo produjo en sus discípulos un deseo y una capacidad creciente para obedecerlo. Los discípulos eran personas comunes y corrientes, pero habían asumido un compromiso extraordinario para seguir a Cristo. Nuevamente, Él no quería que lo obedecieran simplemente para ser buenas personas; quería que fueran obedientes para que participaran en su misión aquí en la tierra.

Examine los siguientes relatos del proceso que usaba Jesús para enseñar a sus discípulos:

1. Él ordenaba y ellos obedecían.
2. Aprendían lo que Cristo les enseñaba haciendo lo que Él les ordenaba que hicieran.
3. Más tarde Cristo conversaba con ellos acerca del significado de la experiencia.

**Responda a los siguientes relatos según las instrucciones.**

Jesús llamó a sus discípulos para que dejaran lo que hacían y lo siguieran a Él. Andrés, Pedro, Jacobo y Juan dejaron sus ocupaciones como pescadores para seguir a Jesús (véase Mateo 4:18-22). Mateo dejó su empleo como recaudador de impuestos (véase Mateo 9:9). Escriba al margen algo que a usted le sería difícil abandonar si Dios se lo pidiera.

Jesús le dijo a Pedro que pescara un pez, que tomara una moneda de la boca del mismo y pagara los impuestos de ambos (véase Mateo 17:27). ¿Qué haría usted si Dios le pidiera algo aparentemente incomprensible o que no tuviera sentido para usted?

Jesús le pidió a sus discípulos que le consiguieran un pollino y que, si los dueños le preguntaban qué estaban haciendo, respondieran "[...]el Señor lo necesita" (Marcos 11:3). Si Jesús le pidiera que recogiera una camioneta estacionada en el centro de la ciudad, ¿qué haría si tuviera que responderle al dueño de la camioneta *"el Señor la necesita"*? Escríbalo al margen.

Cuando Jesús le dijo a Felipe que alimentara a los cinco mil, él dijo que era imposible. Andrés ofreció el almuerzo de un niño aunque pensaba que no era suficiente (véase Juan 6:5-11). ¿A cuál de los dos discípulos se parecería más usted? ❑ Felipe ❑ Andrés

¿Alguna vez se negó a ser obediente porque pensó que Dios le pedía algo incomprensible o sin sentido para usted? ❏ Sí ❏ No

La obligación más importante de los discípulos era obedecer a Jesús. Como los discípulos, debemos obedecer las ordenanzas de Jesús. Él les proporcionó recursos para ayudarlos a obedecer: Oró por ellos, les envió el Espíritu Santo y les proporcionó su Palabra escrita. Los mismos recursos están a su disposición y la mía. ¡Él los proveerá para nosotros! Lo ha hecho en mi vida y puede hacerlo en la suya. Si usted obedece sus ordenanzas, experimentará su amor y producirá frutos. Usted puede desarrollar una relación personal de obediencia a Cristo para toda la vida. ¡Cristo guiará su vida si usted le permite hacerlo!

**Como los discípulos, debemos obedecer las ordenanzas de Jesús.**

**Para repasar el tema de esta semana, complete la siguiente oración.**

**Si su vida se caracteriza por la _____ , usted experimentará el _____ de Cristo y producirá su _____.**

Si tuvo dificultad para completar esta oración, repase la ilustración de la página 18. Según lo que estudió esta semana, usted puede permitirle a Cristo que lo guíe y ayude a fin de que su vida se caracterice por la obediencia, el amor y el fruto.

## ESTUDIEMOS LA CRUZ DEL DISCÍPULO

**Su tarea más importante es permanecer en Cristo, la vid. Si usted lo hace, Cristo estará en el centro de su vida. A continuación he dibujado como ejemplo todos los elementos de La cruz del discípulo, pero no he colocado a Cristo en el centro del círculo. Complete el interior del círculo y debajo del mismo escriba** *Juan 15:5* **como recordatorio de la vid y los pámpanos. En las siguientes semanas aprenderá más acerca de los elementos de La cruz del discípulo.**

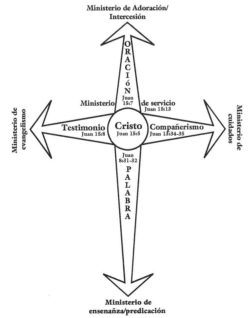

## GUÍA DIARIA DE COMUNIÓN CON EL MAESTRO

### JUAN 15

**Qué me dijo Dios:**

_____

_____

_____

_____

_____

_____

_____

**Qué le dije yo a Dios:**

_____

_____

_____

_____

_____

_____

_____

_____

_____

Continúe la práctica diaria de su devocional. Hoy lea Juan 15, el capítulo del cual provienen muchos de los versículos para memorizar en este libro. Al leer, busque cómo el pasaje se refiere a la necesidad de que Cristo esté en el centro de su vida. Cada semana se le pedirá que lea este pasaje y busque cómo Dios lo usa para hablarle acerca de la disciplina de esa semana. Después de leer el pasaje, complete la Guía diaria de comunión con el maestro en el margen.

¿QUE EXPERIENCIA TUVO EN ESTA SEMANA?
Repase la sección "Mi andar con el Maestro en esta semana" al comienzo del material para esta semana. Marque las actividades que haya completado con una línea vertical en el diamante. Termine toda actividad incompleta. Piense en lo que dirá durante la sesión de grupo acerca de su trabajo en tales actividades.

Piense acerca de sus experiencias en la primera semana al completar la sección "Dedicarle tiempo al Maestro".
- ¿Ha notado alguna diferencia en su vida debido al estudio de esta semana?
- ¿Acaso Cristo está más en el centro de su vida esta semana que la semana pasada?

Ore: "Señor, revélame las áreas de mi vida en las que quieres que me discipline más como creyente" o "Señor, soy débil y necesito tu fortaleza. Revélame cómo disciplinarme más en mi andar contigo como mi Maestro". Cuando ya haya hecho las actividades de las prácticas regulares de la lección de hoy, el Espíritu Santo marcará una diferencia en su modo de vivir en Cristo cada día.

El inventario en la página siguiente lo ayudará a evaluar su vida cristiana. Se ha creado para que usted lo use en privado y no para que se compare con ninguna otra persona. No es un examen, ni se espera que nadie tenga un puntaje perfecto. Su calificación refleja su opinión sobre su vida como discípulo y lo que hace. A pesar de que la mayoría de los elementos son hechos para observarse, puede que una persona interprete sus propios hechos en forma positiva o negativa. Usted podrá conocer a una persona sólo en razón de sus obras o frutos. Pídale a Dios que le ayude a ver dónde está ahora y dónde desea Él que esté usted en su relación de obediencia a Jesucristo durante toda la vida.

Lea cada afirmación y llene el círculo en la columna que mejor represente una evaluación precisa.

## INVENTARIO ESPIRITUAL DE USO PERSONAL

Las columnas de evaluación son: SIEMPRE, GENERALMENTE, A VECES, CASI NUNCA, NUNCA.

### Dedicarle tiempo al Maestro
- Tengo mi devocional todos los días.
- Trato que Cristo sea el centro de mi vida.
- Durante el día me siento cerca del Señor.
- Procuro disciplinarme.
- Sé que el Señor me disciplina.

### Vivir en la Palabra
- Leo mi Biblia diariamente.
- Estudio mi Biblia cada semana.
- Cada semana memorizo un versículo bíblico.
- Tomo nota, por lo menos una vez a la semana, al escuchar, leer o estudiar la Biblia para aplicarla a mi vida.

### Orar con fe
- Mantengo una lista de oración y oro por las personas o motivos de oración incluidos en la misma.
- Durante el último mes experimenté una respuesta específica a una oración.
- Cada día mis oraciones incluyen acción de gracias, alabanza, confesión, petición e intercesión.

### Tener comunión con los creyentes
- Procuro vivir en paz con mis hermanos en la fe.
- Procuro reconciliarme con los que tienen algún problema conmigo o con quienes tengo algún problema.
- Otros saben que soy creyente por mi modo de amar al pueblo de Dios.
- Vivo en armonía con los demás miembros de mi familia.

### Testificar al mundo
- Oro regularmente por personas inconversas y las menciono por su nombre.

- Cuando surge una oportunidad adecuada, testifico a otros.  ○ ○ ○ ○ ○
- Expongo el plan de salvación a quienes están dispuestos a escucharlo.  ○ ○ ○ ○ ○
- Cada semana testifico de Cristo.  ○ ○ ○ ○ ○
- Sigo de cerca y animo a los que he ganado para Cristo.  ○ ○ ○ ○ ○

**Ministrar a otros**
- Sirvo a Cristo al servir en mi iglesia.  ○ ○ ○ ○ ○
- Como mínimo, diezmo por medio de mi iglesia.  ○ ○ ○ ○ ○
- Por lo menos una vez al mes hago buenas obras a personas menos afortunadas que yo.  ○ ○ ○ ○ ○
- Tengo metas para mi vida y las tengo claras en mi mente.  ○ ○ ○ ○ ○

Subtotales __ __ __ __ __

x4 x3 x2 x1

Totales __ __ __ __ __

Puntaje total _____

Cuando haya terminado de verificar cada artículo, sume los puntos de cada columna, excepto los de la columna de "Nunca". Cada marca en la columna de "Siempre" vale 4 puntos; en la columna de "Generalmente" vale 3 puntos; en la de "A veces" vale 2 puntos; en la de "Casi nunca" vale 1 punto. Sume los cuatro totales y calcule su calificación total sobre una posibilidad de 100.

**Complete los siguientes conceptos.**

**Creo que mi puntaje (refleja/no refleja) mi vida discipular adecuadamente porque** _____.

**Otros factores que deben considerarse, pero que no se reflejan en el inventario, y lo que opino de tales factores** _____.

**Mi evaluación general y personal de mi discipulado es**

_____.

---

1. R.A. Torrey, *Why God Used D.L. Moody* [Por qué Dios usó a D.L. Moody], Chicago: Moody Press, 1923, 10.

2. *Day by Day in God's Kingdom: A Discipleship Journal* [Día a día en el reino de Dios: Diario del discipulado] (item 7200-61), a su disposición en el centro de servicio al cliente, One LifeWay Pla Nashville, Tennessee 37234, E.E.U.U. Telf. 1-800-458-2772, y también en las librerías bautistas.

3. *The Commission* [La comisión], es una publicación de la Junta de Misiones Internacionales de la Convención Bautista del Sur; P.O. Box 6767, Richmond, VA, 23230, E.U.A.

# SEMANA 2

## *Vivir en la Palabra*

### La meta de esta semana

Usted crecerá en una relación personal con Cristo a medida que aprenda a vivir en la Palabra mediante su tiempo devocional diario y la memorización de las Escrituras.

### Mi andar con el Maestro en esta semana

Completará las siguientes actividades para desarrollar las seis disciplinas bíblicas. Cuando haya completado cada actividad trace una línea vertical en el diamante que está junto a la actividad.

DEDICARLE TIEMPO AL MAESTRO
◇ Durante su devocional diario use las Guías diarias de comunicación discipular que aparecen en los márgenes del material para esta semana.

VIVIR EN LA PALABRA
◇ Lea su Biblia diariamente. Escriba qué le dijo Dios y qué le dice usted a Él.
◇ Memorice Juan 8:31-32.
◇ Repase Lucas 9:23 y Juan 15:5, que ya memorizó anteriormente.

ORAR CON FE
◇ Ore por cada miembro de su grupo de *Vida discipular* mencionándolo por nombre.
◇ Ore con su compañero de oración una vez esta semana. Si no tiene un compañero de oración busque uno esta semana.

TENER COMUNIÓN CON LOS CREYENTES
◇ Conozca mejor a un miembro del grupo. Visite a esa persona o llámela por teléfono. Dígale a esa persona que usted ora por ella. Dialogue sobre cualquier bendición o desafío que experimente con *Vida discipular*.

TESTIFICAR AL MUNDO
◇ Comience a anotar nombres de personas inconversas en su lista del pacto de oración. Comience a orar regularmente por esas personas. Póngase en comunicación con cualquier persona según sienta que el Espíritu lo guía.

MINISTRAR A OTROS
◇ Continúe aprendiendo el diagrama de La cruz del discípulo. Aprenda el significado de la parte inferior para ampliar la información del círculo que ya aprendió.

### Versículo para memorizar esta semana

*"Si vosotros permaneciereis en mi palabra, seréis verdaderamente mis discípulos; y conoceréis la verdad, y la verdad os hará libres" (Juan 8:31-32).*

# DÍA 1

*Una estrecha relación*

**El devocional es más que un mero hábito. Es una cita con Jesucristo.**

Cuando era joven traté de empezar a tener mi devocional. Había leído acerca de creyentes que se levantaban a las cuatro de la mañana para leer la Biblia durante una hora y orar antes del desayuno. Lo intenté, pero no lograba hacerlo. Cumplía con mi programa durante uno o dos días, pero luego estaba tan cansado que no podía levantarme a tiempo. Me comprometía a intentarlo nuevamente.

Me sentí culpable porque no tenía constancia. Casi puse mi salud en peligro antes de enterarme que aquellos creyentes sobre quienes solía leer se acostaban a las 8 o las 9 de la noche, mientras que yo me acostaba a la 1 o a las 2 de la mañana.

Poco después leí un folleto que destacaba la importancia de dedicarle a Dios un breve tiempo cada mañana. Recalcaba que la constancia era lo importante y sugería un plan sencillo para lograr esa meta. Así que decidí que le dedicaría siete minutos a Dios cada mañana. Naturalmente, pronto me di cuenta que no sería suficiente. Programé mi despertador para más temprano a fin de tener tiempo suficiente con el Señor.

Aprendí que el devocional es más que un hábito. Es una cita con Jesucristo quien está en el centro de mi vida. Le sugiero que comience por dedicarle unos minutos a Jesucristo cada mañana, porque Él está en el centro de su vida.

El tiempo que le dedique a Cristo diariamente constituye la primera de las seis disciplinas básicas en el andar del discípulo. La semana pasada estudió acerca de negarse a usted mismo y poner a Cristo en el centro de su vida. Dicho proceso es parte de su formación como discípulo y del desarrollo de una relación de obediencia hacia Cristo. Esta semana comenzará a aprender qué significa que Cristo sea el centro de su vida.

## ESTUDIEMOS LA CRUZ DEL DISCÍPULO

La semana pasada comenzó a dibujar el diagrama de La cruz del discípulo para comprender lo que Cristo espera de usted. Dibujó la parte del centro para representar la función que Cristo ha de tener en su vida. Al continuar el estudio de *Vida discipular*, dibujará la cruz alrededor del centro, un listón a la vez, a medida que incorpore en su vida las disciplinas que lo conducen a permanecer en Cristo. Podrá visualizar la cruz como si representara las seis disciplinas que necesita practicar un discípulo. Cada semana sus tareas se relacionarán con esas seis disciplinas.

**Podrá visualizar la cruz como si representara las seis disciplinas que necesita practicar un discípulo.**

Dedicarle tiempo al Maestro — Vivir en la Palabra — Orar con fe — Comunión con los creyentes — Testificar al mundo — Ministrar a otros

**Escriba cada una de las seis disciplinas de La cruz del discípulo. Si necesita ayuda, consulte el diagrama completo de la página 136.**

Cada semana usted agregará información adicional acerca de La cruz del discípulo. Al finalizar el estudio podrá explicar el diagrama de la cruz en sus propias palabras y recitar todos los versículos que integren cada porción.

Cada listón de la cruz representa una parte de la vida cristiana. La parte inferior representa la Palabra y la parte superior, que agregará la semana próxima, representa la oración. Ambas partes constituyen la cruz que representa su relación con Dios. La semana próxima comenzará a dibujar el listón horizontal, que representa sus relaciones con otros. En su vida cristiana usted tiene un Señor, representado por el círculo del centro (que tiene el nombre de Cristo), y dos tipos de relación: con Dios y con otras personas.

## PERMANECER EN LA PALABRA

Para que Cristo viva en usted hay que tener la Palabra de Cristo en usted. La primera disciplina que adquirirá será dedicarle tiempo al Maestro mediante su devocional. La segunda y la tercera disciplinas, vivir en la Palabra y orar con fe, respaldarán su tiempo devocional. En Juan 8:31-32, Jesús dijo: "Si vosotros permaneciereis en mi palabra, seréis verdaderamente mis discípulos; y conoceréis la verdad, y la verdad os hará libres". La Palabra es el alimento para usted. No podrá crecer si no participa regularmente de la Palabra.

> **Para que Cristo viva en usted hay que tener la Palabra de Cristo en usted.**

⤯ Vuelva a leer el pasaje de Juan 8:31-32 que figura anteriormente (el versículo para memorizar esta semana). Subraye lo que dice el versículo acerca de ser discípulo de Cristo. Luego comience a memorizar Juan 8:31-32 repitiéndolo en voz alta, desde una hasta tres veces.

Quizás subrayó la frase: "Si vosotros permaneciereis en mi palabra". La palabra (o enseñanzas) de Cristo se encuentra en las Escrituras. Si no participa regularmente de la Palabra de Cristo, no podrá ser la clase de seguidor que Cristo espera que usted sea.

Tal vez se pregunte: *¿Qué diferencia hará que yo permanezca o no en su Palabra? ¿Acaso no tendré los mismos problemas que tiene todo el mundo? A pesar de que permanezca en las enseñanzas de su Palabra, habrá aflicciones en mi vida. ¿Será realmente importante que yo viva como discípulo de Cristo?* Como creyente, usted no está libre de dificultades. Sin embargo, al permanecer en la Palabra de Cristo se cultiva una relación en la cual podrá sobrellevar tales tormentas victoriosamente. Cuando usted tiene una relación con Cristo, Él le demuestra en qué manera las Escrituras lo señalan como fuente de orientación y fortaleza.

## UNA CITA DIARIA

Una manera de conocer las enseñanzas de Cristo es mediante el hábito diario de la lectura bíblica, la meditación y la oración. Un devocional no puede sustituirse con nada. Las personas que Dios ha usado con poder son las que han discernido su verdad y poder en la adoración privada. Josué 1:8: "[...]de día y de noche meditarás en él (el libro de la ley), para que guardes y hagas conforme a todo lo que en él está escrito". Memorizar pone la Palabra de Dios en su mente. Meditar pone la Palabra en su corazón. Usted podrá enfrentar toda circunstancia con la Palabra de Dios en su corazón.

Hace varios años tuve una importante experiencia en mi devocional. Al prepararme para una segunda cirugía de próstata, supuse que sería similar a la primera que había experimentado: incómoda, pero sin efectos duraderos. En mi devocional leí Salmos 116:1-9. En el versículo 3 leí:

> *Me rodearon ligaduras de muerte,*
> *me encontraron las angustias del Seol;*
> *angustia y dolor había yo hallado.*

La lectura me dio temor, y escribí en mi diario de oración: "Esta operación será más peligrosa de lo que pensaba". Me preparé para lo peor y luego deposité mi confianza en lo que Dios dijo en los versículos 7 al 9:

> *Vuelve, oh alma mía, a tu reposo,*
> *porque Jehová te ha hecho bien.*
> *Pues tú has librado mi alma de la muerte,*

**Memorizar pone la Palabra de Dios en su mente. Meditar pone la Palabra en su corazón.**

*mis ojos de lágrimas,*
*y mis pies de resbalar.*
*Andaré delante de Jehová*
*en la tierra de los vivientes.*

Después de la cirugía, el informe patológico reveló una célula cancerosa. Al principio me sorprendió la palabra *cáncer*, pero me vino a la mente el pasaje bíblico que el Señor me había dado y eso me tranquilizó. El médico me dijo que la célula cancerosa podría ser la única que había y que él vigilaría mi condición cada tres meses. Le agradecí al Señor la confianza que me dio. Desde entonces han pasado más de cinco años y no he tenido ninguna recurrencia de cáncer. Sin embargo, el incidente alertó al médico para dejar de recetarme la medicina que podría haber estimulado el crecimiento de las células cancerosas.

Agradecí a Dios por su piadosa advertencia del cáncer mediante su Palabra, la cual me preparó para el resultado de la operación. Mi esfuerzo por vivir en obediencia no me evitó el cáncer, pero mi hábito regular del devocional me hizo sensible a una promesa de la Palabra de Dios que me fortaleció y alentó en tiempo de prueba.

**¿Alguna vez experimentó una comunión personal con Cristo que lo condujo a ser más sensible a lo que Él quería decirle sobre la misma?** ❏ **Sí** ❏ **No** **Si es así, describa su experiencia.**

Un devocional lo ayuda a conocer a Dios mediante la comunión con Él.

_____

_____

## COMUNIÓN CON DIOS

La primera razón por la cual tener un devocional es que lo ayuda a conocer a Dios mediante la comunión con Él. Esta semana estudiaremos esa razón y otras tres más.

---

**RAZONES POR LAS CUALES TENER UN DEVOCIONAL**
**1. Conocer a Dios mediante la comunión con Él.**
2. Recibir dirección y orientación para las decisiones cotidianas.
3. Poner nuestras necesidades en manos de Dios.
4. Fructificar espiritualmente

---

¿Por qué desea tener una comunión personal con Dios? Para comenzar, es natural el deseo de comunicarse con un ser amado. Piense cómo se siente usted cuando pasa un buen tiempo sin ver o hablar con un ser querido, como padre o madre, un hijo, el cónyuge o un amigo. Usted anhela volver a comunicarse con esa persona. La espera de una carta o de una llamada telefónica se experimenta con impaciencia. Usted ansía esos dulces momentos de comunión. Cuando es un hijo de Dios, usted desea profundamente la comunión con su Padre celestial.

El creyente y el Padre disfrutan de una relación personal que el sacrificio de Jesús hizo posible.

*"Nosotros le amamos a Él porque Él nos amó primero" (1 Juan 4:19).*

*"En esto se mostró el amor de Dios para con nosotros, en que Dios envió a su Hijo unigénito al mundo, para que vivamos por él. En esto consiste el amor: no en que nosotros hayamos amado a Dios, sino en que él nos amó a nosotros, y envió a su Hijo en propiciación por nuestros pecados" (1 Juan 4:9-10).*

*"[...]a fin de conocerle, y el poder de su resurrección, y la participación de sus padecimientos, llegando a ser semejante a él en su muerte, si en alguna manera llegase a la resurrección de entre los muertos" (Filipenses 3:10-11).*

**Lea los versículos de 1 Juan impresos en el margen. Luego responda las siguientes preguntas en sus propias palabras.**

**¿Por qué ama usted a Dios? (Véase 1 Juan 4:19).**

_____

**¿Cómo sabe que Dios lo ama a usted? (Véase 1 Juan 4:9-10).**

_____

Usted ama a Dios para corresponderle, porque Él lo amó primero. Sabe que Dios lo ama porque Él envió a su Hijo a morir por usted. Aunque no ame a Dios, Él no deja de amarlo a usted. Sin embargo, su amor por Dios disminuye y se estanca si usted no se nutre mediante una relación de comunión diaria con Él. Un devocional diario es importante para que el creyente y el Padre disfruten de una relación personal que el sacrificio de Jesús hizo posible.

**Lea el pasaje de Filipenses 3:10-11 impreso en el margen. Marque cuáles son las ventajas que Pablo recibía de su comunión con Cristo.**
❑ 1. Conocer a Cristo
❑ 2. Liberarse de los problemas
❑ 3. Poder de la resurrección
❑ 4. Comunión en el sufrimiento
❑ 5. Liberación de la muerte

Cristo no le promete que usted no experimentará la muerte si tiene comunión con Él. Tampoco le promete que tendrá menos aflicciones. Sin embargo, le promete que lo conocerá a Él, el poder de la resurrección y comunión durante tiempos de aflicción. Las respuestas correctas son 1, 3 y 4.

**Para resumir lo que ha aprendido hasta ahora, complete el espacio en blanco:**

_____

**La primera razón por la cual tener un devocional es** _____

_____

Cuando usted ama a alguien (y como cristiano, se espera que ame a Cristo por encima de todo), no quiere estar separado de esa persona. Realmente no puede conocer a alguien a menos que pase tiempo con esa persona. Para responder la pregunta en la actividad anterior, puede que usted haya escrito algo como "que yo conozca a Dios mediante la comunión con Él".

El hábito suyo de un devocional diario fortalece su relación con la vid, sin la cual no se puede hacer nada. El versículo para memorizar la semana pasada, Juan 15:5, pone de relieve la absoluta incapacidad suya cuando no permanece unido a Cristo. Él desea transformar su carácter en la semejanza de Cristo mientras usted se mantiene unido a Él.

 Continúe memorizando Juan 8:31-32 y repase Lucas 9:23, el cual memorizó anteriormente. Diga los pasajes bíblicos en voz alta a un miembro de su familia o un amigo.

Continúe leyendo la Biblia diariamente. Hoy lea Mateo 26:36-46, un pasaje que describe una ocasión en que Jesús procuró estar solo para orar. Después de leer el pasaje, complete la Guía diaria de comunión con el maestro en el margen.

## DÍA 2

### *Orientación para las decisiones diarias*

A medida que considere vivir en la Palabra, puede ser que vuelva a surgir el constante problema del tiempo. Tal vez piense: *Claro que es bueno leer la Biblia diariamente. Puedo tratar de lograr ese hábito. Sin embargo, eso de vivir en la Palabra suena como algo que debo hacer todo el día. ¿Acaso habrá alguien que disponga de suficientes horas al día para vivir permanentemente en la Palabra? Debo ocuparme de mi trabajo, mi familia y demás responsabilidades. No puedo andar todo el día con una Biblia en la mano.*

Es cierto que la lectura regular de la Biblia es un modo esencial de vivir en la Palabra. Usted necesita de esa disciplina diaria. Sin embargo, además de leer la Palabra la puede recibir de diversas maneras: escuchar a alguien que predica, estudiarla, meditarla, memorizarla y aplicarla. Haber hecho de Cristo su Señor y tener una relación personal de obediencia a Él para toda la vida implica que usted desea estudiar la Palabra y meditar en ella regularmente. Luego usted vive lo que la Palabra dice.

**En el párrafo anterior, subraye las maneras en que puede recibir la palabra.**

La Palabra de Dios puede impregnar su vida diaria en toda clase de situación. Al memorizar las Escrituras, los versículos que aprenda se harán presentes en su pensamiento cuando experimente diversas situaciones. De igual manera, usted se encuentra en innumerables incidentes

---

**GUÍA DIARIA DE COMUNIÓN CON EL MAESTRO**

❧

**MATEO 26:36-48**

Qué me dijo Dios:

_____

_____

_____

_____

_____

_____

_____

_____

Qué le dije yo a Dios:

_____

_____

_____

_____

_____

_____

_____

_____

en que necesitará aplicar las verdades bíblicas. Incluso cuando no pueda contar con una Biblia abierta, podrá recordar los versículos que haya memorizado. Escuchar a alguien predicar la Palabra le enseña lo que Dios planea para usted. El desarrollo de hábitos diarios de leer y estudiar las Escrituras lo ayuda a vivir en la Palabra. En la actividad anterior puede que usted haya subrayado todas esas maneras.

Dedique tiempo a estudiar los versículos para memorizar esta semana: Juan 8:31-32. Dígalos en voz alta, de una a tres veces. Al ocuparse de sus actividades esta semana, tenga presente las oportunidades para aplicar tales versículos a su vida.

## ESTUDIEMOS LA CRUZ DEL DISCÍPULO

A fin de reforzar lo que está aprendiendo acerca de vivir en la Palabra, dibuje las partes de *La cruz del discípulo* que ya ha estudiado. Dibuje un círculo con el nombre de *Cristo* y la cita de *Juan 15:5* en el centro y dibuje el listón inferior con el vocablo *Palabra* escrito sobre el mismo. Ahora escriba *Juan 8:31-32* sobre el listón inferior. Al dibujar, repita en voz alta lo que hasta ahora ha aprendido del diagrama de *La cruz del discípulo.*

Un modo de afirmar la Palabra en su mente y su corazón es teniendo un devocional diario. Hoy estudiará la razón por la cual tener un devocional.

**Un devocional diario le proporciona dirección y orientación para sus decisiones cotidianas.**

---

**RAZONES POR LAS CUALES TENER UN DEVOCIONAL**
1. Conocer a Dios mediante la comunión con Él.
2. **Recibir dirección y orientación para las decisiones cotidianas.**
3. Poner nuestras necesidades en manos de Dios.
4. Fructificar espiritualmente

---

## PÍDALE A DIOS QUE LE MUESTRE EL CAMINO

Un devocional diario le proporciona dirección y orientación para sus decisiones cotidianas. Al meditar en la Palabra de Dios y tener comunión con su Espíritu, usted puede discernir su voluntad. El versículo de Salmos 143:8 puede ser su oración:

*Hazme saber el camino por donde ande,*
*porque a ti he elevado mi alma.*

**En Salmos 143:8, ¿qué le pidió el salmista a Dios que hiciera?**

_____

_____

**Primera Juan 5:14 dice: "Y esta es la confianza que tenemos en él, que si pedimos alguna cosa conforme a su voluntad, él nos oye". ¿Qué dice este versículo sobre la respuesta de Dios si usted pide conforme a su voluntad?**

Si usted ora conforme a su voluntad, tiene la certeza de que Él lo escucha.

_____

Como el salmista, usted puede pedirle a Dios que le muestre el camino por donde debe andar en su vida cristiana. Si ora conforme a su voluntad, tiene la certeza de que Él lo escucha. No conozco una mejor razón para dedicar diariamente su tiempo a fortalecer su relación con la vid.

## DIRECCIÓN EN LA PALABRA

Dios ha usado su Palabra para revelarme su dirección una y otra vez. En cierta ocasión mi esposa y yo estábamos en Sudáfrica dirigiendo un curso de *Vida discipular* para nueve países. Sucedió que debido a un boicot político, no se permitiría desembarcar en Nairobi, Kenia, a ningún pasajero procedente de Sudáfrica. Nosotros íbamos a dirigir un curso para otros nueve países en Nairobi. Tratamos de desviarnos de ese reglamento, pero no pudimos encontrar solución alguna. Si no se nos permitía entrar en Kenia, nos veríamos forzados a seguir viaje rumbo a Europa sin poder dirigir el curso.

El día anterior a nuestra partida, decidimos ir a Harare, Zimbabwe, para obtener nuevos pasaportes, visas y boletos en un nuevo intento para viajar a Nairobi. La mañana en que partiríamos, durante mi devocional leí el pasaje de Salmos 118:5-8, que dice:

*Desde la angustia invoqué a JAH,*
*y me respondió JAH, poniéndome en lugar espacioso.*
*Jehová está conmigo;*
*no temeré lo que me pueda hacer el hombre.*
*Jehová está conmigo entre los que me ayudan;*

## GUÍA DIARIA DE COMUNIÓN CON EL MAESTRO

### SALMOS 118

**Qué me dijo Dios:**

_____

_____

_____

_____

_____

_____

_____

**Qué le dije yo a Dios:**

_____

_____

_____

_____

_____

_____

_____

_____

_____

*por tanto, yo veré mi deseo en los que me aborrecen.*
*Mejor es confiar en Jehová*
*que confiar en el hombre.*

Sentí que esos versículos eran la promesa de Dios de que podríamos ir a Nairobi. Pareció que los versículos 14 al 16 ofrecían una mayor confirmación:

*Mi fortaleza y mi cántico es JAH,*
*y él me ha sido por salvación.*
*Voz de júbilo y de salvación*
*hay en las tiendas de los justos;*
*la diestra de Jehová hace proezas.*
*La diestra de Jehová es sublime;*
*la diestra de Jehová hace valentías*

Llegamos a Harare, Zimbabwe, con sólo una hora para obtener los nuevos pasaportes, visas y boletos, ¡pero Dios lo hizo! Si usted ha tratado de obtener esos elementos en su propio país, sabe que lo que nos ocurrió fue un milagro. Cuando llegamos a Nairobi, los funcionarios de inmigración impidieron la entrada de las tres personas que iban delante de nosotros, pero al examinar nuestros nuevos pasaportes y visas ¡nos dejaron entrar! Se oyeron voces de júbilo por parte de nosotros y los participantes que habían orado para que entráramos al país. Dios había obrado un milagro, y yo estaba agradecido de que había buscado respuestas de su Palabra. Sin la confianza que el Señor nos dio, no habría tenido la valentía de iniciar el viaje.

**¿Alguna vez Dios lo ayudó a tomar una decisión mientras usted buscaba respuestas en su palabra?** ❑ Sí ❑ No   Si es así, describa su experiencia.

_____

**Para resumir lo que ha aprendido hasta ahora, complete el siguiente espacio en blanco. Verifique su trabajo comparándolo con la lista de la página 38.**

**Las dos primeras razones por la cual tener un devocional son:**

_____

 Su pasaje bíblico para hoy es Salmos 118; léalo y observe cómo lo usa Dios para hablarle. Después de leer este pasaje, complete la Guía diaria de comunión con el Maestro en el margen.

 Ore por cada miembro de su grupo de *Vida discipular.*

## DÍA 3

# *Su petición por las necesidades*

E s probable que usted ya haya comprobado que permanecer en la Palabra de Dios, o perseverar en las enseñanzas de Cristo, no constituye un hecho aislado. ¿Leyó alguna vez su Biblia, la cerró y experimentó una sensación de satisfacción, como "de haber cumplido con una obligación"? Permanecer en su Palabra significa que su Palabra es parte de la vida suya tanto como el aire que respira. Su versículo para memorizar esta semana es Juan 8:31-32: "Si vosotros permaneciereis en mi palabra, seréis verdaderamente mis discípulos; y conoceréis la verdad, y la verdad os hará libres". Hoy usted dedicará más tiempo a comprender mejor la idea de perseverar en las enseñanzas de Cristo.

### PONGA SUS NECESIDADES EN MANOS DE DIOS

Si usted persevera en las enseñanzas de Cristo, no esperará a pedirle ayuda como última opción. Él será su primera fuente de ayuda. Cuando tenga alguna necesidad, profundizará en las Escrituras como primera medida. Esa es la tercera razón por la cual tener un devocional de lectura y meditación en la Palabra de Dios y de comunión con Él. Las necesidades y los problemas de su vida pueden ayudarlo a reconocer cuánto depende de Dios. Él quiere satisfacer sus necesidades. En el devocional usted puede poner sus necesidades en manos de Dios.

**Hoy estudiará la tercera razón por la cual tener un devocional. En la siguiente lista, las dos primeras razones se han dejado en blanco. Si puede recordarlas de su estudio de los días 1 y 2, escríbalas.**

---

**RAZONES POR LAS CUALES TENER
UN DEVOCIONAL**
1. _____
2. _____
3. **Poner nuestras necesidades en manos de Dios.**
4. Fructificar espiritualmente

---

Lea los versículos del margen y relacione las referencias de la columna izquierda con las promesas bíblicas pertenecientes a la oración que figuran en la columna derecha.

___ 1. Filipenses 4:4-7    a. Dios renueva las fuerzas de los que esperan en Él.

___ 2. Salmos 34:17    b. Mediante la oración hallamos gracia para reconfortarnos en tiempos de necesidad.

___ 3. Hebreos 4:16    c. El Señor libra a los justos de la tribulación

___ 4. Isaías 40:31    d. Cuando ponemos nuestras necesidades ante Dios, él nos da paz.

*"Regocijaos en el Señor siempre. Otra vez digo: ¡Regocijaos! Vuestra gentileza sea conocida de todos los hombres. El Señor está cerca. Por nada estéis afanosos, sino sean conocidas vuestras peticiones delante de Dios en toda oración y ruego, con acción de gracias. Y la paz de Dios, que sobrepasa todo entendimiento, guardará vuestros corazones y vuestros pensamientos en Cristo Jesús"* (Filipenses 4:4-7).

*Claman los justos, y Jehová oye, y los libra de todas sus angustias* (Salmos 34:17).

*"Acerquémonos, pues, confiadamente al trono de la gracia, para alcanzar misericordia y hallar gracia para el oportuno socorro"* (Hebreos 4:16).

*"[...]pero los que esperan a Jehová tendrán nuevas fuerzas; levantarán alas como las águilas; correrán, y no se cansarán; caminarán, y no se fatigarán"* (Isaías 40:31).

¡Estas son promesas maravillosas acerca de lo que sucede cuando usted ora! Dios nos proporciona gracia, paz y fortaleza y nos libra de tribulación. Las respuestas correctas son 1.d, 2.c, 3.b y 4.a. Si usted permanece en la Palabra, le esperan hermosas promesas, como se lo recuerdan sus versículos para memorizar en Juan 8:31-32.

✝ **Dedique algunos minutos para repasar sus versículos para memorizar de Juan 8:31-32. Sin volver a la sección "Mi andar con el Maestro en esta semana", escriba los versículos en el margen para verificar cuán bien puede recordarlos.**

**La memorización bíblica constituye gran parte del permanecer en la Palabra.**

Ya por esta parte de *Vida discipular* puede que usted se diga: *Esto de memorizar es demasiado para mí. Nunca me he destacado por mi memoria.* Tal vez piense que está demasiado ocupado o ya no es tan joven para empezar a memorizar las Escrituras. Sin embargo, la memorización bíblica constituye gran parte del permanecer en la Palabra. Recordar versículos bíblicos según sea necesario es importante en la vida diaria de un creyente. Lea el siguiente relato acerca de una extraordinaria mujer que superó sus desafíos con la memorización bíblica.

Pearl Collinsgrove se convirtió a Cristo a la edad de 79 años. Al escuchar a los participantes de *Vida discipular* dar testimonio en su iglesia sobre la experiencia de vivir en Cristo, se interesó en dicho estudio. Debido a que era ciega y sólo había cursado la escuela primaria hasta tercer grado, algunos miembros de la iglesia pensaron que ella no podría participar. Sin embargo, alguien le grabó el material de estudio en cinta y rápidamente memorizó todos los versículos bíblicos y muchos más.

Pearl, que había sido artista, comenzó a cantar los versículos bíblicos memorizados mientras tocaba la guitarra. Diversas organizaciones cívicas de la ciudad la invitaron a hablarles y a cantar. Un miembro de su grupo de *Vida discipular* confeccionó una cruz del mismo tamaño que Pearl. Cuando ella hablaba en público, mostraba la cruz y cantaba una canción relativa a cada punto y al centro de la cruz. Así decía: "Mis pies están plantados en la Palabra de Dios, mis manos se elevan al cielo en adoración y oración, una de mis manos se extiende en comunión hacia mis hermanos y hermanas en la fe, mientras que la otra mano se extiende hacia el mundo incrédulo que necesitamos alcanzar para Cristo".

Se corrió la voz acerca del testimonio de esta hermana y, ante un aplauso entusiasta, cantó Juan 15:5 a 45.000 personas, en la asamblea de la Convención Bautista del Sur en Dallas, Texas. Ni su edad, ni su ceguera, ni su falta de educación impidieron que esta ferviente creyente aprendiera los conceptos y los versículos bíblicos de *Vida discipular*.

El mismo Dios que a usted le da fortaleza para seguirlo a todo costo también puede hacer que memorice su Palabra igual que Pearl.

✝ **Conozca mejor a un miembro del grupo. Visite a esa persona o llámela por teléfono. Dialogue sobre cualquier bendición o desafío que experimente con respecto a la memorización bíblica o cualquier otra parte de *Vida discipular*. Dígale** a esa persona que usted ora por su capacidad para memorizar las Escrituras y por otras necesidades que la persona exprese. Repasen juntos los versículos que han memorizado en *Vida discipular.*

SIGAMOS LA PISTA A LAS RESPUESTAS A LA ORACIÓN

Otra manera de mantenerse unido a Dios es recordar cómo Él satisface sus necesidades. Con demasiada frecuencia nos presentamos ante su trono con un pedido, pero olvidamos agradecerle el modo en que nos responde. Una manera de seguir la pista a los motivos de oración y las respuestas es mantener una lista para un pacto de oración. Hay muchos creyentes que han utilizado dicho sistema para recordar lo que Dios ha hecho en su vida. He aquí algunos consejos sobre cómo usar la lista.

---

### CÓMO USAR LA LISTA PARA EL PACTO DE ORACIÓN

1. Use la lista de la página 138. Tal vez quiera fotocopiarla y confeccionar listas individuales para diversas categorías de oración o para diferentes días de la semana. Haga por lo menos una lista de motivos por lo que usted ore a diario. Ore por los demás motivos semanal o mensualmente.

2. Anote cada motivo en términos específicos para saber cuándo se ha respondido. Por ejemplo, no escriba "Bendice a la tía Alicia", sino pida que la tía Alicia pueda volver a utilizar el brazo derecho. Escriba la fecha en que anotó el motivo. Si en cualquier ocasión el Espíritu Santo le revela un versículo bíblico relacionado con ese pedido, escriba dicho versículo en la columna co-rrespondiente. Preste atención a sus lecturas bíblicas, ya que algunos versículos podrían aplicarse a su motivo de oración. (Más adelante estudiará más acerca de los diferentes modos en que Dios responde la oración.)

3. Deje en blanco dos o tres renglones para escribir las respuestas en la columna. Puede que su oración sea respondida en etapas. Escriba la fecha en que se responda cada oración.

---

 Utilice la lista de la página 138 para empezar a mantener una lista para el pacto de oración. Si lo desea, haga copias de la lista mencionada. Tal vez desee confeccionar un cuaderno de oración para usarlo mientras va completando el proceso de *Vida discipular.* Al principio tal vez no tenga suficientes motivos de oración para completar todas las líneas. Anote sólo los motivos que representen inquietudes genuinas de la ocasión.

Su lista de oración con respuestas fechadas podría ser la mejor evidencia para convencerse o convencer a otra persona sobre el interés de Dios por nosotros y su poder. Tal fue el caso de un joven obrero de la construcción llamado Dyke Dyer, miembro de un grupo de *Vida discipular* que mi esposa y yo dirigimos en nuestra iglesia de Goodlettsville, Tennessee. Dyke oraba constantemente por la salvación

---

### GUÍA DIARIA DE COMUNIÓN CON EL MAESTRO

1 SAMUEL 1:9-20

**Qué me dijo Dios:**

_____

_____

_____

_____

_____

_____

_____

**Qué le dije yo a Dios:**

_____

_____

_____

_____

_____

_____

_____

_____

de su jefe, para lo cual lo había anotado en la lista para el pacto de oración. Cada semana Dyke daba cuenta al grupo de sus esfuerzos evangelísticos; orábamos con él, pero la respuesta no llegaba.

Finalmente, Dyke halló la manera de llevar a su jefe a la iglesia y de ganarlo para Cristo. Entusiasmado, nuestro hermano le relató al grupo: "¡Es lo mejor que me ha sucedido desde que experimenté la salvación en Cristo!" Nos regocijamos de ver a este joven usar su lista para el pacto de oración como medio para orar constantemente por la salvación de alguien y dar testimonio del resultado.

Durante su devocional, usted puede acercarse a Dios no sólo con sus necesidades, sino que también puede seguir la pista de cómo responde Dios a tales necesidades. Un devocional es un hábito importante para desarrollar en su relación personal de obediencia a Cristo para toda la vida.

**Repase el estudio de hoy escribiendo una lista con las tres primeras razones por las cuales tener un devocional. Mañana estudiará la cuarta razón.**

1. _____

2. _____

3. _____

**4. Fructificar espiritualmente**

 Esta semana ore una vez con su compañero de oración. Si todavía no tiene un compañero de oración, encuentre uno esta semana.

 En su devocional para hoy lea el pasaje de 1 Samuel 1:9-20. Trata de una persona que oraba fervientemente. Cuando haya leído el pasaje, complete la Guía diaria de comunión con el Maestro en la página 43.

## DÍA 4

## *Perseverar y obedecer*

**Los discípulos siguieron a Jesús porque lo reconocieron como su Señor y Maestro.**

Un día en nuestro devocional familiar, le pregunté a mis hijos por qué creían que los discípulos Jacobo y Juan habían dejado las redes cuando Jesús se los ordenó y lo siguieron sin formular preguntas. Mi hijo de 11 años de edad respondió: "estaban cansados de remendar esas redes". No creo que esa haya sido la verdadera razón por la cual los discípulos siguieron a Jesús cuando Él se los ordenó. Lo siguieron porque lo reconocieron como su Señor y Maestro. Si usted desea resumir la idea del discipulado, es obedecer el señorío de Cristo. Permanecer en la Palabra, o perseverar en las enseñanzas del señor, significa obedecerlas. Usted puede leer la Palabra, meditar en la misma, orar, escuchar la predicación o enseñanza de la Palabra, y ver la demostración de la misma, pero si usted no obedece la Palabra, habrá malgastado su tiempo.

**Lea el versículo del margen y responda las siguientes preguntas.**

**¿Qué sucede cuando usted guarda los mandamientos de Cristo?**

_____

*"Si guardareis mis mandamientos, permaneceréis en mi amor; así como yo he guardado los mandamientos de mi Padre, y permanezco en su amor" (Juan 15:10).*

**¿El ejemplo de quién sigue usted al guardar los mandamientos de Cristo?**

_____

**Permanecer en Cristo significa _____.**

Obedecer los mandamientos de Cristo es la clave del discipulado. Cuando los obedece, usted permanece en una relación de obediencia a Cristo para toda la vida. Permanece en el amor de Cristo. Usted obedece porque Cristo dio el ejemplo al obedecer los mandamientos del Padre. Al permanecer en Cristo, usted lo obedece.

**Usted obedece porque Cristo dio el ejemplo al obedecer los mandamientos del Padre.**

¿Cómo va su memorización bíblica? Espero que ya haya comenzado a experimentar las ventajas de haber memorizado versículos para citarlos instantáneamente cuando los necesite. Cuando doy mi testimonio, no siempre tengo una Biblia a mano. He descubierto que el Espíritu Santo me trae a la memoria exactamente los versículos que corresponden en cada situación. Una vez hablé con una mujer que visitaba nuestra iglesia y siempre ofrecía numerosas excusas para no entregarse a Cristo. Debido a que yo había memorizado muchos versículos, el Espíritu Santo me guió a seleccionar el versículo adecuado para cada excusa. No le respondí con palabra alguna, sino que para cada una de ellas le pedí que leyera un versículo que yo sabía de memoria. Después de leer 10 o 15 versículos, la mujer depositó su fe en Cristo.

**Describa una ocasión en que un versículo memorizado le resultó útil.**

 **Siga memorizando Juan 8:31-32. Diga estos versículos en voz alta a un miembro de su familia o un amigo.**

Tener un devocional lo ayudará a obedecer las enseñanzas de Cristo. Cuando usted cuenta con un recordatorio diario de lo que dice la Biblia, las enseñanzas de Cristo se mantienen frescas en su memoria. No

**No necesita preguntarse cómo habrá actuado Cristo en ciertas situaciones; tales verdades estarán guardadas en su corazón.**

necesita preguntarse cómo habrá actuado Cristo en ciertas situaciones; tales verdades estarán guardadas en su corazón. Y si es obediente, usted fructifica espiritualmente: esta es la cuarta razón por la cual tener un devocional.

**Escriba las tres primeras razones por las cuales tener un devocional. La cuarta razón ya está impresa.**

---

**RAZONES POR LAS CUALES TENER UN DEVOCIONAL**
1. _____
2. _____
3. _____
**4. Fructificar espiritualmente**

---

FRUCTIFICAR

En Juan 15:4, Jesús dijo: "Permaneced en mí, y yo en vosotros. Como el pámpano no puede llevar fruto por sí mismo, si no permanece en la vid, así tampoco vosotros, si no permanecéis en mí".

**¿Qué dijo Jesús que debe hacer usted para fructificar?**

_____

**Dios no quiere que usted trabaje para Él. Él quiere trabajar a través de usted.**

Dios no quiere que usted trabaje *para* Él. Él quiere trabajar *a través* de usted. La obra de Dios sólo se realiza en la medida que usted le rinda diariamente su voluntad a Él mediante el estudio bíblico, la oración y la meditación. A lo largo de su relación de obediencia a Él para toda la vida, Dios le mostrará constantemente la forma en que las Escrituras lo señalan. Usted podrá fructificar solamente si permanece fiel a la vid y persevera en Él. Eso es todo lo que significa la vida en Cristo.

Connie Baldwin, maestra de escuela en Virginia, se levanta cada mañana a las 5.30 para tener su devocional antes de prepararse para la escuela. Afirma que dicha práctica la ayuda a fructificar durante el día mientras trabaja con los niños y también la ayuda a prepararse para su ocupaciones. "Para mí es toda una proeza levantarme a las 5.30 porque por naturaleza no soy una persona madrugadora", refiere Connie. "Sin embargo, sé que Dios me ha dado la fortaleza y determinación de levantarme temprano para dedicarle tiempo a Él. Sé que cuando llegue al cielo no voy a decir `ojalá hubiera dormido más' sino que diré `¡me alegro de haberme levantado temprano para dedicarle tiempo a mi Maestro!'"

**Jesús estaba preparado para fructificar espiritualmente debido a que su relación con el Padre siempre estaba al día.**

Jesús estaba preparado para fructificar espiritualmente debido a que su relación con el Padre siempre estaba al día. Incluso cuando Jesús estaba cansado, la mujer samaritana vino a Él (véase Juan 4). Jesús tampoco tuvo tiempo para prepararse cuando se encontró con el cortejo fúnebre del hijo de la viuda. De inmediato resucitó al joven (véase Lucas 7:11-12). En otra ocasión se durmió durante la tormenta y sus discípulos lo despertaron gritando: "¡Maestro, Maestro, que perecemos!", pero Él estuvo listo para actuar (véase Lucas 8:22-25).

## MANTENER FRESCA SU RELACIÓN

Cuando surgen las oportunidades, con frecuencia usted no tiene tiempo de prepararse para salir al encuentro de las mismas. Sin embargo, estará listo si su relación se ha establecido durante su devocional y se ha mantenido fresca mediante la oración y el recordar la Palabra durante el día. A menudo me sorprende lo que Dios me dice en el devocional y cómo se aplica a los problemas y las oportunidades que enfrento durante el día. A la mañana siguiente, cuando repaso lo que Dios me reveló el día anterior, con frecuencia me doy cuenta de que Él me había preparado para las situaciones que surgieron.

**Verifique las oportunidades de fructificar espiritualmente que haya tenido durante la semana anterior.**

❑ **Alentar a un amigo**
❑ **Testificar**
❑ **Aconsejar**
❑ **Contar un versículo memorizado o una revelación de su devocional**
❑ **Orar con alguien**
❑ **Ayudar a un necesitado**
❑ **Exhortar a alguien**
❑ **Soportar una mala acción**
❑ **Controlar sus emociones**
❑ **Amar los que no merecen afecto**

Repase lo que ha aprendido esta semana. Sin volver a leerlo en el cuaderno, escriba la lista de las cuatro razones por las cuales debe tener un devocional. Dibuje una estrella junto al área con respecto a la cual piense que necesita crecer más.

1. _____

2. _____

3. _____

4. _____

Siga desarrollando su lista para el pacto de oración incluyendo ahora el nombre de personas inconversas. Agregue el nombre de dichas personas a su lista hasta que haya incluido por lo menos cinco. Comience a orar regularmente por ellas. Establezca contactos personales según el Espíritu lo conduzca a hacerlo.

---

## GUÍA DIARIA DE COMUNIÓN CON EL MAESTRO

### GÉNESIS 22:1-19

**Qué me dijo Dios:**

_____

_____

_____

_____

_____

_____

_____

**Qué le dije yo a Dios:**

_____

_____

_____

_____

_____

_____

_____

Su lista para el pacto de oración puede ser un testimonio viviente de su Señor viviente. Una vez en que yo le testifiqué a un ateo, le mostré mi lista de oración. Le señalé la fecha en que había pedido por motivos aparentemente imposibles y la fecha en que Dios respondió esas oraciones. Afirmé "si no hay Dios, cuando yo oro tienen lugar muchas coincidencias". ¡Alabado sea el Señor porque responde nuestras oraciones en maneras que mueven incluso al individuo más resistente!

En su devocional para hoy, use el pasaje de Génesis 22:1-19, que trata de un personaje obediente del Antiguo Testamento. Después de leer este pasaje, complete la Guía diaria de comunión con el Maestro en la página 47.

## DÍA 5

# *Una disciplina diaria*

En el día 4 estudiamos cómo seguir el ejemplo de Jesús para mantener el crecimiento de la relación entre usted y el Padre. Quizás se pregunte *¿por qué era necesario que Cristo obedeciera si Él era el Hijo de Dios?* La razón fue que Jesús se despojó a sí mismo y se hizo semejante a los hombres (véase Filipenses 2:7). Él se colocó en la misma relación con Dios que tenemos nosotros: la de un aprendiz o seguidor (véase Lucas 2:52; Hebreos 5:7-9). Jesús disfrutaba de una relación singular con Dios el Padre. Aunque era el Hijo de Dios y estaba lleno del Espíritu de Dios, Jesús sentía la necesidad de ejercitar una adoración privada y regular. Así estableció para nosotros el modelo de una relación de obediencia con el Padre.

Como podrá apreciar en los pasajes bíblicos del margen, Jesús estableció modelos que le permitían mantener una relación especial de amor con Dios el Padre. Cristo oraba en la mañana temprano, durante la noche sin dormir, solo y cuando estaba apartado de los demás.

Si Jesús sentía la necesidad de una comunión regular con el Padre, nosotros deberíamos sentir una necesidad aún mayor. He aquí cómo tener un devocional efectivo.

*"Levantándose muy de mañana, siendo aún muy oscuro, salió y se fue a un lugar desierto, y allí oraba"* (Marcos 1:35).

*"En aquellos días él fue al monte a orar, y pasó la noche orando a Dios"* (Lucas 6:12).

*"Despedida la multitud, subió al monte a orar aparte; y cuando llegó la noche, estaba allí solo"* (Mateo 14:23).

*"Y después que los hubo despedido, se fue al monte a orar"* (Marcos 6:46).

---

**CÓMO TENER UN DEVOCIONAL EFECTIVO**
1. Planee un horario regular para su devocional.
2. Encuentre un sitio para estar a solas con Dios.
3. Siga un procedimiento.

---

UN HORARIO REGULAR
La primera clave para un devocional efectivo es encontrar un horario regular. Hacerlo por la mañana es comenzar el día con el

reconocimiento de su dependencia de Dios y la suficiencia absoluta de Él. Le da una oportunidad para someter su voluntad a Dios y dedicarle conscientemente el día para su gloria.

**¿A qué hora se levanta usted habitualmente por la mañana?** _____
**¿Qué ajustes necesitaría hacer para levantarse 15 minutos antes mañana por la mañana?**

_____

_____

Creo que es importante reunirse con Dios por la mañana para buscar orientación conscientemente y oír su palabra para el día. Sin embargo, para algunos creyentes un devocional a la hora de acostarse alivia las tensiones del día, les proporciona un sosegado preludio para su descanso y los prepara para el día siguiente. Lo importante es que el horario sea regular y a diario para que se vuelva un hábito.

**¿Ora usted habitualmente a la misma hora cada día?** ❑ Sí ❑ No
**Si no es así, propóngase tener diariamente un devocional a las** \_\_\_\_\_
❑ **de la mañana** ❑ **de la tarde.**

## UN SITIO SILENCIOSO

El segundo requisito para un devocional efectivo es un sitio para estar a solas con Dios. En el margen, el pasaje de Mateo 6:6 describe cómo Jesús animaba a sus seguidores a orar. Para casi todas las personas es más fácil concentrarse al establecer un sitio alejado del ruido, las distracciones y las demás personas, es decir, un sitio donde puedan concentrarse en Aquel con quien se comunican orando.

**Mencione el mejor sitio para tener su devocional:** _____

## UN PROCEDIMIENTO A SEGUIR

El tercer requisito para un devocional efectivo es seguir un procedimiento. A no ser que conscientemente usted siga un modelo que le mantenga la mente concentrada en cuestiones espirituales, probablemente notará que su mente tiende a divagar.

**Los siguientes elementos pueden incluirse en su devocional. Marque los que usted ya use actualmente.**
❑ **Tener comunión con Dios en oración**
❑ **Leer o estudiar la Biblia**
❑ **Orar por las actividades planeadas para ese día**
❑ **Memorizar versículos bíblicos y/o repasarlos**
❑ **Orar por los motivos anotados en la(s) lista(s) de oración**
❑ **Estudiar la tarea de *Vida discipular* para el día**
❑ **Otro:** _____

---

Jesús estableció para nosotros el modelo de una relación de obediencia con el Padre.

*"Más tú, cuando ores, entra en tu aposento, y cerrada la puerta, ora a tu Padre que está en secreto; y tu Padre que ve en lo secreto te recompensará en público"* (Mateo 6:6).

A no ser que conscientemente usted siga un modelo que le mantenga la mente concentrada en cuestiones espirituales, probablemente notará que su mente tiende a divagar.

El siguiente procedimiento es el que sigo personalmente. Tal vez usted quiera adaptarlo para determinar el suyo propio.

1. Después del descanso de la noche, me arrodillo en oración y renuevo mi relación con Dios. En esa ocasión frecuentemente uso el modelo de los diversos elementos de la oración (adoración, confesión, acción de gracias y súplica) en la página 19.

2. Después de tener comunión con Dios, me siento o me arrodillo y leo la Biblia. Debido a que leo en secuencia un libro de la Biblia, habitualmente cubro un capítulo por día. Durante el proceso de *Vida discipular*, le sugiero que lea el pasaje bíblico relativo a la lección del día. Más adelante usted determinará qué libro de la Biblia va a leer y cuánto leer cada día.

3. Mientras leo o después de leer, sintetizo en mi diario lo que Dios me dijo y lo que yo le dije a Dios.

4. Uso mi lista del pacto de oración para orar por los motivos anotados y agrego otros asuntos por los que Dios me guía a orar.

**Use su lista del pacto de oración para orar por los motivos anotados**

Usted puede usar mi procedimiento o desarrollar otro. Quizás podría probar varios métodos diferentes de organizar su devocional en el curso de los próximos días. De esa manera podrá ver cuál método le gusta más, o cuál es más útil para relacionarse con Dios.

**Escriba el procedimiento que desea seguir en el devocional de mañana.**

_____

_____

_____

**Para resumir lo que estudió hoy, explique la importancia de los tres requisitos para un devocional efectivo. Verifique sus respuestas comparándolas con lo que ha leído.**

**Un horario regular:** _____

_____

_____

**Un sitio apartado:** _____

_____

_____

_____

**Un procedimiento a seguir:** _____

_____

_____

ESTUDIEMOS LA CRUZ DEL DISCÍPULO

En los versículos para memorizar esta semana, Juan 8:31-32, Jesús dijo que sus discípulos se caracterizan por perseverar en sus enseñanzas.

**Permanecer en la Palabra del Señor, o de perseverar en sus enseñanzas, es una característica del discípulo. Para demostrar que usted comprende su importancia dibuje las porciones del diagrama de La cruz del discípulo que ha estudiado hasta ahora. Dibuje el círculo, el listón inferior y las palabras y versículos que corresponden a esas partes. Explíquese mentalmente o en voz alta lo que ha aprendido esta semana acerca de La cruz del discípulo.**

Primera Pedro 2:5 se refiere a los creyentes como sacerdotes que pueden "[...]ofrecer sacrificios espirituales aceptables a Dios por medio de Jesucristo". Como sacerdotes, tenemos el privilegio y la responsabilidad de adorar al Señor diariamente.

**Como sacerdotes, tenemos el privilegio y la responsabilidad de adorar al Señor diariamente.**

## GUÍA DIARIA DE COMUNIÓN CON EL MAESTRO

### JUAN 15

**Qué me dijo Dios:**

_____

_____

_____

_____

_____

_____

_____

**Qué le dije yo a Dios:**

_____

_____

_____

_____

_____

_____

_____

_____

Evalúe en qué medida hace usted lo siguiente haciendo una marca en la columna correspondiente.

| | SIEMPRE | GENERALMENTE | A VECES | CASI NUNCA | NUNCA |
|---|---|---|---|---|---|
| Tengo un horario regular | ○ | ○ | ○ | ○ | ○ |
| Tengo un sitio silencioso para encontrarme con Dios | ○ | ○ | ○ | ○ | ○ |
| Tengo un procedimiento para seguir | ○ | ○ | ○ | ○ | ○ |

Para que los pecadores pudieran tener comunión con Él, Dios debía pagar un precio: su único Hijo. Aún así, Él estuvo dispuesto a pagar tal precio para relacionarse con nosotros. Parte de su vida en Cristo es la comunión con el Padre. ¿Qué le cuesta tener esa comunión?

**¿Le dedicará usted por lo menos 15 minutos diarios a Dios a partir de mañana?** ❑ Sí ❑ No **Si ese es su deseo, dígaselo ahora a Dios en oración.**

 **Hoy vuelva a leer Juan 15 en su devocional. Esta vez busque cómo Dios utiliza dicho pasaje para hablarle a usted acerca de permanecer en su Palabra, o perseverar en sus enseñanzas. Después de leer este pasaje, complete la Guía diaria de comunión con el Maestro en el margen.**

### ¿QUÉ EXPERIENCIAS TUVO ESTA SEMANA?

**Repase la sección "Mi andar con el Maestro en esta semana" al comienzo del material para esta semana. Marque las actividades que haya completado con una línea vertical en el diamante. Termine toda actividad incompleta. Piense en lo que dirá durante la sesión de grupo acerca de su trabajo en tales actividades.**

Al completar la sección "Vivir en la Palabra", piense en las experiencias que tuvo esta semana.

• Tal como lo describe Juan 8:31-32, ¿verdaderamente está usted cambiando para ser un discípulo?
• ¿Esta semana permaneció más en Cristo que la semana pasada?
• ¿Ha progresado en su relación de obediencia a Cristo?

*Vida discipular* lo alienta a no detenerse en su vida cristiana, sino a seguir adelante. Si usted sólo se interesara en detenerse no estaría participando en este estudio. Pido a Dios que obre a través de las experiencias suyas para ayudarlo a crecer como discípulo.

## SEMANA 3

# Orar con fe

### La meta de esta semana

Usted crecerá en su relación personal con Cristo al orar con fe.

### Mi andar con el Maestro en esta semana

Completará las siguientes actividades para desarrollar las seis disciplinas bíblicas. Cuando haya completado cada actividad trace una línea vertical en el diamante que está junto a la actividad.

 DEDICAR TIEMPO AL MAESTRO

◇ Tenga su devocional todos los días. Use las Guías diarias de comunicación discipular que aparecen en los márgenes del material para esta semana.

 VIVIR EN LA PALABRA

◇ Lea su Biblia diariamente. Escriba qué le dijo Dios y qué le dijo usted a Él.
◇ Memorice Juan 15:7.
◇ Repase Lucas 9:23, Juan 15:5 y Juan 8:31-32.

 ORAR CON FE

◇ Ore por cada miembro de su grupo de *Vida discipular* mencionándolo por nombre.
◇ Ore con su compañero de oración. Hágalo personalmente o por teléfono.
◇ Ore por los motivos anotados en su lista para el pacto de oración.

 TENER COMUNIÓN CON LOS CREYENTES

◇ Testifique a alguien acerca de su experiencia de tener un devocional.

 TESTIFICAR AL MUNDO

◇ Demuestre el amor de Dios a una persona inconversa.

 MINISTRAR A OTROS

◇ Continúe aprendiendo el diagrama de La cruz del discípulo. Aprenda el significado de la parte superior de la cruz y memorice el versículo bíblico que le corresponda. Prepárese para explicar las partes superior e inferior de la cruz a otra persona en su grupo durante la próxima sesión.

### Versículo para memorizar esta semana

*"Si permanecéis en mí, y mis palabras permanecen en vosotros, pedid todo lo que queréis, y os será hecho" (Juan 15:7).*

# DÍA 1

### ❧

# *Oremos por lo que Dios quiere*

**Dios comenzó a enseñarme a orar con fe.**

Cuando estudiaba en la universidad, Dios comenzó a enseñarme a orar con fe. Leí un sermón del evangelista Gypsy Smith basado en Juan 15:7, que es el versículo para memorizar esta semana: "Si permanecéis en mí, y mis palabras permanecen en vosotros, pedid todo lo que queréis, y os será hecho". Me conmovió tanto que le dije a Dios: "Señor, hago lo mejor posible por permanecer en ti. Yo podría pedir cualquier cosa y lograr que mi oración fuese contestada porque tú lo prometiste". Luego sentí la necesidad de orar porque alguien recibiera a Cristo como su Salvador mientras yo testificaba en la calle esa noche. En mi diario escribí: "Creo que alguien será salvo esta noche (Juan 15:7)".

Salí a la calle y comencé a invitar a los transeúntes para asistir a los cultos de la misión de rescate. Cuando dos hombres me acompañaron al culto, me dije *¡Fantástico! Es posible que esta noche se salven dos.* Sin embargo, cuando terminó el sermón, me dirigí a ellos y les pregunté si eran creyentes en Cristo. Ambos respondieron "Sí". No lo pude comprender... Yo había orado para que Dios salvara a alguien. Después del culto busqué a otra persona para testificarle, pero a nadie pude encontrar. De regreso a casa me hacía miles de preguntas. Le dije al Señor: "En lo que a mí concierne, permanezco en ti como lo dice Juan 15:7. ¿Por qué no respondiste como prometiste? ¿Acaso no es verdad tu Palabra?"

Cuando regresé al campus de la universidad, recordé que había olvidado traer conmigo la chaqueta de un amigo por la cual me había responsabilizado. Regresé a recogerla y una vez más decidí buscar a quien testificarle. Encontré a un joven de 18 años parado en una esquina. Después de explicarle cómo ser salvo, él le entregó su vida a Cristo. Alabé al Señor por la salvación de ese joven y me regocijé en que su Palabra es verdad y que Dios había respondido como había prometido. Aún antes de que aquel joven fuera bautizado, llevó a otro a Cristo.

**Me regocijé en que su Palabra es verdad y que Dios había respondido como había prometido.**

Con el anhelo de seguir adelante con mi nueva percepción de la oración y la fe, recordé que el siguiente domingo predicaría en la iglesia de Tulsa, que pastoreaba mi padre. Rara vez oro para que se salve un número específico de personas, pero sentí que el Espíritu Santo me conmovía a orar por cinco conversiones como resultado de mi predicación. En aquel tiempo, cuando yo predicaba, nunca hubo cinco personas que tomaran una decisión... excepto la decisión de retirarse del templo. Dije: "Dios, por tu Palabra yo creo que salvarás cinco personas". Cuando llegué a Tulsa, le pedí a mi padre que me diera tarjetas con datos de visitantes de los cultos para ir a visitarlos. Sabía que sólo teniendo personas inconversas en el culto, las mismas podrían ser salvas. Esa noche, cuando hice la invitación, se acercaron cinco personas por el pasillo para recibir a Cristo y hubo otra que consagró su vida. Comencé a entender que Dios realmente quería hacer algo si yo oraba de acuerdo a su voluntad.

La semana siguiente decidí ir un poco más lejos. Le pedí a Dios: "¿Qué dirás, Señor, de diez personas salvas este fin de semana?" Pero esa vez no sucedió nada, porque Dios quería que yo aprendiera una lección todavía más importante acerca de la oración. Esta vez no hubo conversiones porque yo había querido decirle a Dios lo que yo deseaba en lugar de orar en base a lo que Él revelara. Aprendí que el fin de la oración es hacerme participar en el propósito de Dios, en lugar de hacerlo participar a Él en mis planes.

**Piense en una ocasión cuando oró en base a lo que usted deseaba en lugar de buscar primero la voluntad de Dios. Describa aquí la experiencia.**

 

---

 

---

## PIDAMOS DE ACUERDO A LA VOLUNTAD DE DIOS

El Señor se deleita en responder la oración hecha de acuerdo a su voluntad, pero rehúsa responder la oración que no guarda armonía con lo que Él quiere. Necesitamos oír la voz de Dios para saber cómo orar.

**Necesitamos oír la voz de Dios para saber cómo orar.**

A casi nadie se le pide que haga los sacrificios hechos por Alex y Shelby Cradle, a pesar de que todos necesitan negarse a sí mismos para seguir a Cristo. Alex era un ejecutivo comercial que ganaba mucho dinero y tenía asegurado su empleo. Su esposa, Shelby, era una instructora universitaria para quien su trabajo de enseñar comunicaciones era una experiencia gratificante. Vivían en una próspera región del estado de Carolina del Norte y sus nietos vivían en las cercanías. Sin embargo, Alex y Shelby renunciaron a sus empleos, regalaron casi todos sus bienes y se fueron para Asia. Allí comenzaron a trabajar para una organización humanitaria a fin de testificar de su fe. Ellos afirmaron que con gozo tomaron esas drásticas medidas porque querían seguir la voluntad de Dios para sus vidas.

Se habían mudado de una ciudad a otra muchas veces en el curso de la carrera laboral de Alex, pero hubo algo que hizo de esta mudanza algo diferente. "Es la primera vez que oramos por una mudanza y buscamos la Palabra de Dios para guiarnos", dijo Shelby. "Antes siempre enfrentábamos los cambios los dos solos". Los Cradle permanecieron unidos a la vid y oraron con fe durante su decisión. Eso les dio el valor y la confianza necesarios para cambiar radicalmente su estilo de vida.

Puede que usted se pregunte *Si oro basado en lo que Dios desea, en lugar de lo que yo quiero, ¿tendré que hacer lo que hicieron Alex y Shelby?* Bueno, el caso de ellos es excepcional. Lo importante es preguntarse *¿Estoy dispuesto a orar como lo hicieron Alex y Shelby?*

## GUÍA DIARIA DE COMUNIÓN CON EL MAESTRO

### MATEO 14:22-34

Qué me dijo Dios:

_____

_____

_____

_____

_____

_____

Qué le dije yo a Dios:

_____

_____

_____

_____

_____

_____

_____

_____

¿Lee usted la Palabra de Dios para obtener orientación y ora con fe cuando necesita tomar una decisión importante?

❑ Sí, siempre lo hago así.

❑ Trato de hacerlo así casi siempre.

❑ Sé que debo hacerlo así, pero no lo hago con la frecuencia que quisiera.

❑ Habitualmente consulto a Dios después de haber tomado la decisión.

 Vuelva a la página 53 y lea en voz alta el pasaje de Juan 15:7 (el versículo para memorizar esta semana). Escriba qué cree que dice el versículo con respecto a consultar a Dios antes de tomar una decisión. Medite en el versículo. Pídale a Dios que le muestre lo que Él quiere y que le dé fe para creer que Él lo hará así.

_____

### ESTUDIEMOS LA CRUZ DEL DISCÍPULO

En _Vida discipular_ usted estudio las disciplinas que rodean La cruz del discípulo. La primera disciplina que estudió fue la de dedicar tiempo al Maestro y de mantenerlo en el centro de su vida. La semana pasada estudió la segunda disciplina, la de vivir en la Palabra. La tercera disciplina que debe practicar un discípulo es orar con fe. Esta semana aprenderá la función de la oración para mantener a Cristo en el centro de su vida.

Para tener una idea previa sobre lo que aprenderá esta semana acerca de orar con fe, dibuje las porciones del diagrama de La cruz del discípulo que ya ha estudiado. Dibuje un círculo con el nombre de _Cristo_ en el centro y dibuje el listón inferior con el vocablo _Palabra_ escrito sobre el mismo. Agregue los versículos correspondientes. Luego dibuje el listón superior con el vocablo _oración_ escrito sobre el mismo. Refiérase al diagrama completo de La cruz del discípulo en la página 136 si necesita ayuda con su dibujo.

El centro de la cruz representa un solo Señor, debido a que Él es la primera prioridad de su vida. Los listones de la cruz representan dos relaciones. El vocablo *Palabra* en la parte inferior y el vocablo *oración* en la parte superior forman el listón vertical que representa su relación con Cristo. El listón horizontal representa su relación con los demás.

✝ **Continúe leyendo la Biblia diariamente en su devocional. Hoy lea Mateo 14:22-34, un pasaje que describe una ocasión en que Jesús se alejó solo para orar. Después de leer el pasaje, complete la Guía diaria de comunión con el Maestro en la página 56.**

*"En el año que murió el rey Uzías vi yo al Señor sentado sobre un trono alto y sublime, y sus faldas llenaban el templo. Por encima de él había serafines; cada uno tenía seis alas; con dos cubrían sus rostros, con dos cubrían sus pies, y con dos volaban". Y el uno al otro daba voces, diciendo:*
`Santo, santo, santo, Jehová de los ejércitos;
*toda la tierra está llena de su gloria'"* (Isaías 6:1-3).

## DÍA 2

# *Entrad por sus puertas con acción de gracias*

**A**l estudiar el material del día 1, tal vez haya dicho: *Realmente me gustaría aprender a orar así, pero, ¿cómo empiezo? ¿Cómo sé cuál es el modo correcto de hablar con el Padre?* Quizás en el pasado usted oraba recitando palabras que había memorizado. O quizás sus oraciones simplemente han sido listas de pedidos en lugar de conversaciones importantes con Dios. Si desea profundizar en su vida de oración, puede aprender a orar con fe mientras desarrolla su relación de obediencia a Cristo para toda la vida.

### LA PRESENCIA DE DIOS
El Nuevo Testamento enseña que la oración es un acto por el cual verdaderamente se entra a la presencia de Dios. Si usted piensa en la oración como un medio para entrar en la presencia de Dios, podrá entender por qué suceden cosas maravillosas cuando usted ora.

Las comparaciones bíblicas del cielo y el templo pueden ayudarlo a concentrarse en la presencia de Dios. En Isaías 6:1-3, que figura en el margen, el profeta Isaías describió el cielo como el templo. Cuando Isaías entró en la presencia de Dios, vio que la túnica de Dios llenaba el templo. Al presenciar la majestad de Dios, Isaías experimentó la santidad de su presencia.

**En el pasaje de Isaías 6:1-3, subraye las palabras o frases que describen cómo vio Isaías a Dios durante su experiencia.**

Obviamente Isaías reconoció la imponente santidad de Dios. Puede que usted haya subrayado las palabras *alto, sublime, santo* y *toda la tierra está llena de su gloria.*

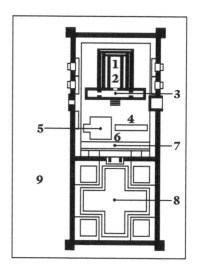

1. **Lugar santísimo**
2. **Lugar santo**
3. **Pórtico**
4. **Holocaustos**
5. **Altar**
6. **Atrio de los sacerdotes**
7. **Atrio de Israel**
8. **Atrio de las mujeres**
9. **Atrio de los gentiles**

*"Por tanto, teniendo un gran sumo sacerdote que traspasó los cielos, Jesús el Hijo de Dios, retengamos nuestra profesión. Porque no tenemos un sumo sacerdote que no pueda compadecerse de nuestras debilidades, sino uno que fue tentado en todo según nuestra semejanza, pero sin pecado. Acerquémonos, pues, confiadamente al trono de la gracia, para alcanzar misericordia y hallar gracias para el oportuno socorro"* (Hebreos 4:14-16).

*Entrad por sus puertas con acción de gracias, por sus atrios con alabanza; alabadle, bendecid su nombre* (Salmos 100:4).

*Me acuerdo de estas cosas, y derramo mi alma dentro de mí; de cómo yo fui con la multitud y la conduje hasta la casa de Dios, entre voces de alegría y de alabanza del pueblo en fiesta* (Salmos 42:4).

*Alabaré yo el nombre de Dios con cántico, lo exaltaré con alabanza. Y agradará a Jehová más que sacrificio de buey, o becerro que tiene cuernos y pezuñas* (Salmos 69:30-31).

Cuando ore, usted también puede imaginarse que entra en el templo, se acerca a Dios y experimenta su imponente santidad. El dibujo que hay en la pág.57 le brinda una idea general del aspecto del templo de Jerusalén. El templo ofrecía diversos niveles de ingreso, comenzando con las puertas y terminando con el lugar santísimo. Cada nivel iba limitando sucesivamente el ingreso a ciertos grupos de personas. En tiempos bíblicos un laico podía entrar sólo a ciertos lugares del templo. Únicamente al sumo sacerdote se le permitía entrar en el área del lugar santísimo, el sitio más sagrado y más íntimo del templo. Allí podía tener una relación íntima con Dios mediante la oración. La muerte de Cristo en la cruz eliminó las limitaciones de la vida terrenal e hizo posible que usted disfrute de acceso directo a Dios. Debido a que Cristo vino a la tierra como ser humano, su muerte redentora puso fin a la función de los sacerdotes. Cristo, en su carácter de sumo sacerdote, ahora lo representa a usted ante Dios.

**Lea el pasaje de Hebreos 4:14-16 en el margen.**

ACERQUÉMONOS A DIOS

A pesar de que el acceso al lugar santísimo era limitado, el gran patio al aire libre que estaba junto al extremo del templo ofrecía acceso libre a todos. A medida que las personas entraban por las hermosas puertas del templo, expresaban su gratitud. Los dos versículos que hay al margen lo ayudarán a imaginar cómo se acercaba el pueblo con gratitud al templo. Cuando usted se acerca a Dios, no es apropiado entrar súbitamente en su presencia y bombardearlo con sus necesidades. Primeramente agradézcale todo lo que Él ha hecho por usted. La acción de gracias es el modo apropiado de acercarse a Dios.

T.W. Hunt, autor de *Disciple's Prayer Life* [La vida de oración del discípulo], describió cómo aprendió que necesitaba una mejor actitud de agradecimiento en su vida. Una mañana, mientras se cepillaba los dientes, Hunt se preguntó: *¿Qué pasaría si mañana tuviera solo lo que le agradecí hoy a Dios?* Comenzó a mencionar cosas como los dientes, los ojos, el sentido del tacto, el aire, la casa, la familia... elementos que a veces no apreciaba. Así cambió su método de orar y comenzó a acercarse al Señor con acción de gracias.

**¿Cuáles son las cosas que usted no aprecia y por las cuales desea comenzar a agradecerle a Dios? Comience ahora escribiendo una oración en que agradezca a Dios por algunas de esas cosas.**

**Gracias, Dios, por:**

_____

_____

En la acción de gracias, usted expresa gratitud a Dios, generalmente en respuesta a hechos concretos de Él. El pasaje de Salmos 69:30-31, que figura en la pág. 58, demuestra cuánto valen para Dios las oraciones de gratitud. Para Él las oraciones de acción de gracias valen más que los sacrificios.

¿Por qué clase de cosas le agradece usted a Dios? Los salmos, en los cuales se destaca especialmente una actitud de agradecimiento, ofrecen ejemplos de áreas por las cuales uno puede agradecer.

- **Liberación de la aflicción:**

  *El ángel de Jehová acampa alrededor de los que le temen,*
  *y los defiende.*
  *Gustad y ved que es bueno Jehová;*
  *dichoso el hombre que confía en él (Salmos 34:7-8).*

- **La fidelidad de Dios:**
  *Porque ha engrandecido sobre nosotros su misericordia,*
  *y la fidelidad de Jehová es para siempre.*
  *Aleluya (Salmos 117:2).*

- **El perdón de pecados:**
  *Cantad a Jehová, vosotros sus santos,*
  *y celebrad la memoria de su santidad.*
  *Porque un momento será su ira,*
  *pero su favor dura toda la vida. (Salmos 30:4-5).*

- **La creación:**
  *Por cuanto me has alegrado, oh Jehová, con tus obras;*
  *en las obras de tus manos me gozo (Salmos 92:4).*

**¿Lo ayuda esta lista a recordar cosas por las cuales estar agradecido? Repase la lista y dibuje una estrella en cada área que usted necesite expresar gratitud. Luego deténgase y ore. Agradézcale a Dios por lo que refrescó en su memoria.**

Uno puede estar tan ocupado en presentar sus pedidos a Dios en oración que olvide separar un tiempo para expresar gratitud. ¿Qué decir de los motivos presentados anteriormente y que Él ya contestó? Es cierto que uno no recibe todo lo que pide. Puede que usted esté aguardando una respuesta. A veces, la respuesta que espera no es parte del plan de Dios, y Él le ofrece una respuesta que es mejor para usted de la que aguardaba originalmente. Sin embargo, también es cierto que Dios responde muchas de sus oraciones de la manera en que usted las expresó. ¿Cuántas de esas respuestas le ha agradecido al Señor? Su lista para el pacto de oración es un registro evidente de la oración respondida. En el breve período en que usted ha mantenido una lista para el pacto de oración, ¿cuáles son las respuestas a sus oraciones que anotó?

**GUÍA DIARIA DE COMUNIÓN CON EL MAESTRO**

**JUAN 15**

**Qué me dijo Dios:**

_____

_____

_____

_____

_____

_____

_____

**Qué le dije yo a Dios:**

_____

_____

_____

_____

_____

_____

_____

_____

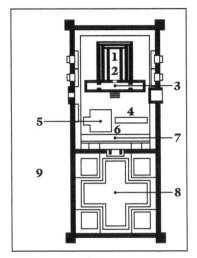

1. Lugar santísimo
2. Lugar santo
3. Pórtico
4. Holocaustos
5. Altar
6. Atrio de los sacerdotes
7. Atrio de Israel
8. Atrio de las mujeres
9. Atrio de los gentiles

Deténgase y repase su lista para el pacto de oración o una lista que haya utilizado anteriormente. Escriba a continuación dos de los motivos de oración por los que ya ha visto respuestas. Luego entre en la presencia de Dios en oración y agradézcale a Él por tales respuestas.

_____

_____

La oración es la disciplina que usted estudia esta semana. Una parte de la vida en Cristo es orar con fe. En Juan 15:7 Jesús dice: "Si permanecéis en mí, y mis palabras permanecen en vosotros, pedid todo lo que queréis, y os será hecho".

Deténgase y repase Juan 15:7, el versículo para memorizar que acaba de leer. Esta semana dígaselo a su compañero de oración, personalmente o por teléfono, durante el tiempo que dediquen a la oración. Díganse mutuamente (por turno) los versículos memorizados anteriormente.

Nuevamente lea Juan 15 como su pasaje bíblico para hoy. Esta vez, al leer el pasaje, busque las maneras que usa Dios para hablarle acerca de la oración con fe. Después de leer el pasaje, complete la Guía diaria de comunión con el Maestro en la página 59.

# DÍA 3

# *Entrad por sus atrios con alabanza*

El siguiente paso para aprender a orar con fe requiere que usted se concentre en la persona del Padre y lo que Él significa para su vida. Jesús no enseñó a los discípulos simplemente a orar. Les mostró cómo conocer al Padre mediante la oración. El hecho de concentrarse en Él contribuirá a que usted se haga el hábito del devocional. Lo ayudará a superar distracciones o requisitos para reconocer a Aquél a cuyo trono usted se acerca. Lo ayudará a comunicarse con Él. Deje de lado los demás pensamientos al perseverar en su decidido esfuerzo para concentrarse en el Padre.

Nuevamente piense en cómo, en tiempos bíblicos, se acercaba el pueblo con gratitud al templo de Jerusalén y considere cómo ha de acercarse usted al trono de Dios en oración. Mientras la muchedumbre entraba en los atrios del templo, lo hacían en actitud de alabanza, como lo indica Salmos 100:4, en el margen. La alabanza se basa en la adoración a Dios. La adoración es lo que usted hace al honrar a Dios o rendirle culto.

## PROCLAMEMOS EL MÉRITO DEL SEÑOR

Alabar a Dios es reconocer sus atributos. Cuando lo alabamos, proclamamos su mérito o valía. ¿Cómo se hace eso? No importa que uno esté arrodillado, de pie, sentado o reclinado. Juan 11:41 sugiere que Jesús oraba con los ojos abiertos. La alabanza es un elemento importante de la oración, sin tener en cuenta cómo alaba usted a Dios ni bajo qué circunstancias lo hace. La alabanza ha de ser constante, como lo indica Salmos 34:1. La alabanza eleva su vida de oración por encima de usted mismo.

La alabanza es un acto que se centra en la persona de Dios. Algunos de los nombres de Dios que se encuentran en la Biblia revelan su carácter, es decir las maneras en que Dios obra en la vida suya. Usted puede alabarlo al reconocer los aspectos del carácter de Dios que se revelan en sus nombres. Para descubrir diversos aspectos del carácter de Dios, estudie el Salmo 91, que menciona varios de sus nombres.

 **Lea el Salmo 91 en su devocional. Después de leer este pasaje, complete la Guía diaria de comunión con el Maestro en la página 62.**

He aquí los nombres de Dios que se usan en el Salmo 91:

*El Elyon:*

> *El que habita al abrigo del Altísimo*
> *morará bajo la sombra del omnipotente (Salmos 91:1).*

El vocablo *Altísimo* representa el nombre *El Elyon*, el más poderoso entre todos los dioses, el que posee los cielos y la tierra, el más poderoso de los poderosos. ¿Cree usted que triunfa en las batallas cotidianas de la vida por su propia fuerza? La verdadera victoria tiene su origen en *El Elyon*. Él puede ordenar incluso los detalles más fastidiosos de su vida.

**Piense en una ocasión en que usted haya experimentado la característica de Dios que revela el nombre *El Elyon*. ¿Ha resuelto Él alguna circunstancia en su vida más allá de todo lo que usted podría haberse imaginado? ❑ Sí ❑ No Si es así, describa su experiencia a continuación. Deténgase y alabe a Dios como *El Elyon*, el Dios altísimo.**

---

*El Shaddai:*

> *El que habita al abrigo del Altísimo*
> *morará bajo la sombra del omnipotente (Salmos 91:1).*

*Entrad por sus puertas con acción de gracias,*
*por sus atrios con alabanza;*
*alabadle, bendecid su nombre (Salmos 100:4).*

*Bendeciré a Jehová en todo tiempo;*
*su alabanza estará de continuo en mi boca (Salmos 34:1).*

*"Tampoco dudó, por incredulidad, de la promesa de Dios, sino que se fortaleció en fe, dando gloria a Dios, plenamente convencido de que era también poderoso para hacer todo lo que había prometido" (Romanos 4:20-21).*

## GUÍA DIARIA DE COMUNIÓN CON EL MAESTRO

### SALMOS 91

**Qué me dijo Dios:**

_____

_____

_____

_____

_____

_____

_____

**Qué le dije yo a Dios:**

_____

_____

_____

_____

_____

_____

_____

_____

El vocablo *Omnipotente* representa el nombre *El Shaddai*, el Dios que todo lo puede. El nombre se usa por primera vez en Génesis 17:1, cuando Dios apareció a Abraham y le hizo promesas grandiosas. Dios le prometió hacer de él una gran nación y darle un hijo en su avanzada edad. Dios cumple sus promesas. Lea Romanos 4:20-21 en la pág. 61.

**Piense en una ocasión en que usted haya experimentado la característica de Dios que revela el nombre *El Shaddai*. ¿Puede recordar una ocasión en que Él haya cumplido las promesas que le hizo a usted? ❑ Sí ❑ No Si es así, descríbala a continuación. Deténgase y alábelo por ser el Dios que cumple sus promesas.**

_____

*Jehová*

> *Diré yo a Jehová: `Esperanza mía, y castillo mío;*
> *mi Dios, en quien confiaré' (Salmos 91:2).*

El vocablo *Jehová* ("Señor" en otras versiones) revela el nombre personal de Dios (*Yahveh* o *Jehová*), que identifica al Dios que está con usted todo el tiempo. Dios usa este nombre para revelarse a Moisés en Éxodo 3. Cuando Dios le dijo a Moisés "YO SOY EL QUE SOY", probablemente le quería decir *Ve y haz lo que yo te he dicho, porque yo estoy contigo* (véase Éxodo 3:14).

**Piense en una ocasión en que haya experimentado la característica de Dios que revela el nombre *Jehová*. Cuando usted creyó que Dios le indicaba que hiciera algo difícil, ¿reconoció la presencia de Él? ❑ Sí ❑ No ❑ Si es así, descríbala a continuación. Deténgase y alabe a Dios por ser *Jehová* en la vida suya.**

_____

*Elohim*

"Mi Dios, en quien confiaré" (Salmos 91:2) revela el nombre *Elohim*. Aparece por primera vez en Génesis 1:1, en el relato de la creación, como referencia al Dios Creador, poderoso, que guarda su pacto. ¿Se acerca usted regularmente a Dios como Creador y lo adora?

**Piense en una ocasión en que usted haya experimentado la característica de Dios que revela el nombre *Elohim*. ¿Cuándo reconoció a Dios como quien le dio la vida y ha creado todo lo que lo rodea? Describa su experiencia a continuación. Luego deténgase y alabe a Dios por ser el Creador.**

_____

Hay otros nombres de Dios que también lo ayudarán a concentrarse en quién Él es para alabarlo. Considere los siguientes:

- *Jehová Jiré:* Dios que provee
- *Jehová Shalom:* Dios que trae paz
- *Jehová Sabaot:* Dios que trae socorro espiritual
- *Jehová Rafa:* Dios que sana

Tal vez prefiera usar un diccionario bíblico para examinar algunos de los nombres de Dios. Comprender las características de Dios contribuirá a que usted sepa cómo alabarlo. Los nombres de Dios se revelan en las experiencias suyas con Él. Deje que Él se le revele mientras lo adora.

## RAZONES PARA ALABAR A DIOS

Mientras se ejercita en la oración con fe, considere estas otras razones por las que Dios merece nuestra alabanza. Podemos alabarlo porque:

- *Él es el Dios viviente.* Mateo 16:16 revela la respuesta de Simón Pedro cuando Jesús les preguntó quién era Él: "Tú eres el Cristo, el Hijo del Dios viviente".
- *Él es santo.* Cuando el pueblo entraba en el templo, reconocía la santidad de Dios. Salmos 29:2 dice: "Adorad a Jehová en la hermosura de la santidad".
- *Él es espíritu.* Él no tiene forma material sino que Él es la forma más elevada de existencia. Que Dios sea espíritu le permite estar con todas las personas en todas partes:

> *¿A dónde me iré de tu Espíritu?*
> *¿Y a dónde huiré de tu presencia? (Salmos 139:7)*

- *Él es amor.* El propósito más importante que motiva la revelación de Dios es el amor (véase Juan 3:16).
- *Él es Padre.* Él es el Padre de nuestro Señor Jesucristo, cuya muerte nos da entrada a la presencia del Padre: "[...]nadie viene al Padre, sino por mí" (Juan 14:6).
- *Él es gloria.* Hebreos 1:3 dice: "(el Hijo) [...]siendo el resplandor de su gloria, y la imagen misma de su sustancia, y quien sustenta todas las cosas con la palabra de su poder[...]"

Alabe a Dios por quien Él es, no por lo que Él hace. La alabanza es rendirle absoluta honra y adoración. En la alabanza, usted declara la santidad de Dios y expresa su amor por Él.

**Deténgase y ore. Repase la lista de razones por las que Dios merece su alabanza. Utilice cada motivo para alabar a Dios a medida que usted sigue desarrollando la disciplina de orar con fe.**

Espero que, gracias a la oración, ya haya experimentado cierto crecimiento en su vida ya sea orando solo en su devocional o con un compañero de oración. Durante el tiempo que le dedica a la oración, espero que Dios haya comenzado a revelarle nombres de personas

**Comprender las características de Dios contribuirá a que usted sepa cómo alabarlo.**

**Alabe a Dios por quien Él es, no por lo que Él hace.**

inconversas por quienes necesita orar. Una de las maneras de comenzar una relación de testimonio es demostrar el amor de Dios a una persona inconversa. En el proceso de cultivar una amistad con esa persona, prepare el camino para presentar el evangelio.

Una vez mi familia vivía frente a la casa de un matrimonio agradable que frecuentemente pedía que nuestros hijos hicieran algún trabajo para ellos. A pesar de que nos hicimos amigos, dicho matrimonio no respondía positivamente a nuestro testimonio del evangelio. Cuando llegó la navidad les llevé una "flor de fuego", la típica planta navideña. La mujer no tardó en acudir a nosotros para pedirnos que oráramos por ella. Era evidente que había estado bebiendo. Más tarde pude guiarla a recibir a Cristo. El hecho de regalarle una planta preparó el camino para testificarle. Agradecí al Señor porque me guió a preparar el camino para que aquella mujer recibiera el evangelio.

 **Esta semana demuestre su amor a una persona inconversa: Haga algo amable por esa persona. Más adelante describa aquí lo que usted hizo y la reacción de dicha persona.**

_____

_____

 **Escriba en el margen Juan 15:7, el versículo para memorizar esta semana. Debajo del versículo escriba qué opina con respecto a comenzar y desarrollar el hábito de orar con fe.**

DÍA 4

❧

# *El altar de la confesión*

**D**espués de agradecerle a Dios por lo que Él ha hecho y de alabarlo por quien Él es, confiésele sus pecados. Además de glorificar y honrar a Dios, usted también necesita pedirle a Dios que examine su corazón.

## LA NECESIDAD DE CONFESAR EL PECADO

Anteriormente, durante esta semana, usted leyó acerca de la experiencia del profeta Isaías cuando vio a Dios y presenció su gloria. Cuando eso sucedió, Isaías también reconoció la diferencia entre la santidad de Dios y la propia condición de pecado del profeta.

**Lea el pasaje de Isaías 6:1-5, en el margen, y complete la siguiente oración.**

---

*"En el año que murió el rey Uzías vi yo al Señor sentado sobre un trono alto y sublime, y sus faldas llenaban el templo. Por encima de él había serafines; cada uno tenía seis alas; con dos cubrían sus rostros, con dos cubrían sus pies, y con dos volaban".*
*Y el uno al otro daba voces, diciendo:*

*`Santo, santo, santo, Jehová de los ejércitos;*
 *toda la tierra está llena de su gloria'.*

*Y los quiciales de las puertas se estremecieron con la voz del que clamaba, y la casa se llenó de humo. Entonces dije: ¡ay de mí! que soy muerto; porque siendo hombre inmundo de labios, y habitando en medio de pueblo que tiene labios inmundos, han visto mis ojos al Rey, Jehová de los ejércitos"*
*(Isaías 6:1-5).*

**Cuando Isaías experimentó la gloria del Señor, él _____ su pecado.**

Cuando nos acercamos al trono de Dios y reconocemos su presencia, el pecado nos confronta y pesa en nuestra mente. Tras una confrontación tan divina, es adecuado confesar nuestros pecados, tal como lo hizo Isaías cuando experimentó la gloria de Dios.

Antes de la muerte de Cristo, se ofrecían sacrificios en un esfuerzo por expiar o reparar el pecado del pueblo. Se ofrecían ofrendas de sangre sobre un altar. Hoy día no es necesario ofrecer un animal para obtener el perdón de pecados. Cristo se ofreció a sí mismo como sacrificio por usted para que se perdonaran sus pecados. Primera Juan 1:8-10 (en el margen), dice que cuando usted confiesa sus pecados al Padre, Él es fiel para perdonarlo.

Al confesar, usted permite que Dios le examine el corazón, y así Él le demuestra lo que lo separa de Él, es decir, las barreras que le impiden una plena experiencia con Dios. No es posible disfrutar de una comunión absoluta con el Padre si en su vida hay pecado sin confesar. Las hermosas palabras del Salmo 139 ilustran la actitud adecuada para la confesión. Lea los versículos 23 y 24 en el margen. El salmista muestra una actitud de sinceridad al pedirle a Dios que le revele si en él hay algo ofensivo que impida su crecimiento. La función del Espíritu Santo es persuadirnos de aquello que ofende la santidad de Dios. No es necesario adivinar lo que podría ser pecado en la vida de uno. Si usted se somete a la dirección divina, el Espíritu Santo le mostrará las cosas que ofenden a Dios.

**Vuelva a leer 1 Juan 1:8-10 en el margen. Según dicho pasaje, ¿por qué necesita usted confesar el pecado que hay en su vida?**
- ❑ Porque el Padre lo perdonará y lo limpiará.
- ❑ Porque se engaña a usted mismo y no vive en la verdad si afirma que no tiene pecado.
- ❑ Porque el Padre puede demostrar que Él es fiel a su promesa de perdonarlo cuando usted confiesa su pecado.
- ❑ Porque así usted se sentirá mejor.

El Padre desea que usted confiese su pecado para hacer lo que le ha prometido: Perdonarlo y limpiarlo. Usted se miente a sí mismo cuando afirma no tener pecado. El Padre al cual usted ora conoce el pecado que hay en su corazón. Confesar el pecado hace que usted se sienta mejor, sin embargo, ese no es el propósito. El propósito es restaurar su comunión con Dios. Todas las respuestas, excepto la última, son razones por las cuales confesar el pecado.

Asimismo, como lo señala Salmos 66:18, Dios no escucha sus oraciones si usted sigue aferrado a su pecado, rehusándose a reconocerlo y confesarlo. La confesión del pecado de su vida es el siguiente paso valioso hacia su comunión con el Padre mediante la oración.

*"Si decimos que no tenemos pecado, nos engañamos a nosotros mismos, y la verdad no está en nosotros. Si confesamos nuestros pecados, él es fiel y justo para perdonar nuestros pecados, y limpiarnos de toda maldad. Si decimos que no hemos pecado, le hacemos a él mentiroso, y su palabra no está en nosotros"* (1 Juan 1:8-10).

*Examíname, oh Dios, y conoce mi corazón;*
*   pruébame y conoce mis pensamientos;*
*y ve si hay en mí camino de perversidad,*
*   y guíame en el camino eterno* (Salmos 139:23-24).

*"Si en mi corazón hubiese yo mirado a la iniquidad, el Señor no me habría escuchado"* (Salmos 66:18).

## GUÍA DIARIA DE COMUNIÓN CON EL MAESTRO

❧

### SALMOS 51

**Qué me dijo Dios:**

_____

_____

_____

_____

_____

_____

_____

**Qué le dije yo a Dios:**

_____

_____

_____

_____

_____

_____

_____

_____

_____

_____

 En su devocional para hoy, lea el Salmo 51, la confesión de David. Después de leer este pasaje, complete la Guía diaria de comunión con el Maestro en el margen. Hágalo antes de seguir leyendo.

### ¿QUÉ NECESITA CONFESAR?

Mientras estudia la confesión y le pide al Señor que examine su corazón, un buen pasaje para leer es Efesios 4:22-32. En dicho pasaje, Pablo se dirige a la iglesia, pero sus amonestaciones se aplican a todas las relaciones y a toda conducta.

**Lea Efesios 4:22-32 y pregúntese:** _¿Qué necesito confesar?_ Al someterse al examen del Señor, pídale que señale lo que en su vida sea ofensivo a Él para ayudarlo a confesar.

> _En cuanto a la pasada manera de vivir, despojaos del viejo hombre, que está viciado conforme a los deseos engañosos, y renovaos en el espíritu de vuestra mente, y vestíos del nuevo hombre, creado según Dios en la justicia y santidad de la verdad. Por lo cual, desechando la mentira, hablad verdad cada uno con su prójimo, porque somos miembros los unos de los otros. Airaos, pero no pequéis; no se ponga el sol sobre vuestro enojo, ni deis lugar al diablo. El que hurtaba, no hurte más, sino trabaje, haciendo con sus manos lo que es bueno, para que tenga qué compartir con el que padece necesidad. Ninguna palabra corrompida salga de vuestra boca, sino la que sea buena para la necesaria edificación, a fin de dar gracia a los oyentes. Y no contristéis al Espíritu Santo de Dios, con el cual fuisteis sellados para el día de la redención. Quítense de vosotros toda amargura, enojo, ira, gritería y maledicencia, y toda malicia._
>
> _Antes sed benignos unos con otros, misericordiosos, perdonándoos unos a otros, como Dios también os perdonó a vosotros en Cristo (Efesios 4:22-23)._

**Marque cualquier cosa de la cual Dios lo haya persuadido:**

❏ deseos engañosos  ❏ gritería
❏ mentira  ❏ haraganería
❏ ira  ❏ maledicencia
❏ amargura  ❏ palabras corrompidas
❏ enojo  ❏ malicia
❏ hurtar

**Ahora escriba una confesión pidiéndole a Dios que lo perdone por el error (o los errores) que ha marcado.**

_____

La confesión es una parte importante para mantener una correcta relación con Dios. La madurez en el discipulado puede razonarse como la medida en la cual uno experimenta armonía o plenitud al relacionarse con Dios y los demás. Usted experimenta dicha armonía al tener una comunión regular con Cristo, es decir, cuando está habituado a orar diariamente con fe. Tal es la razón por la que orar con fe es un componente esencial en su relación de obediencia a Cristo para toda la vida.

## ESTUDIEMOS LA CRUZ DEL DISCÍPULO

Para resumir lo que ha aprendido sobre orar con fe, dibuje las porciones del diagrama de La cruz del discípulo que ya ha estudiado. Dibuje un círculo con el nombre de *Cristo* en el centro y dibuje el listón inferior con el vocablo *Palabra* escrito sobre el mismo. Agregue los versículos correspondientes. Luego dibuje el listón superior con el vocablo *oración* escrito sobre el mismo. Debajo del vocablo *oración*, escriba la cita de *Juan 15:7*, el versículo correspondiente a esa disciplina. Explique el diagrama de la cruz en voz alta mientras va dibujando las diversas partes. Prepárese para explicarlo a otra persona en su próxima sesión del grupo.

Siga memorizando Juan 15:7. Dígale el versículo en voz alta a un familiar o un amigo. Tal vez quiera llamar a uno de sus compañeros del grupo de *Vida discipular* por quien esté orando para recordarle a esa persona de sus oraciones y para practicar el versículo de memoria.

La madurez en el discipulado puede razonarse como la medida en la cual uno experimenta armonía o plenitud al relacionarse con Dios y los demás.

¿Está usted progresando con su lista para el pacto de oración? ¿Toma usted nota a medida que sus oraciones son contestadas? Quizás sea útil separar algún tiempo cada dos o tres semanas para estudiar su lista para el pacto de oración y alabar a Dios por las oraciones contestadas. Usted podría hacerlo, por ejemplo, mientras viaja solo, o podría llevar sus notas a un parque público para estar allí a solas con el Señor. Tal vez desee levantarse temprano una mañana para examinar sus notas. Yo trato de hacerlo por lo menos una vez a la semana. Luego, una vez al mes reviso todos mis motivos de oración para observar lo que Dios ha hecho. Constantemente me maravilla cómo responde Dios muchas de mis oraciones. Al leer mi diario de oración, Dios me demuestra cuán fiel ha sido. Habitualmente no todo motivo tiene su respuesta, pero Él me enseña a caminar en fe al responderme muchos de mis motivos.

*"Y no hay cosa creada que no sea manifiesta en su presencia; antes bien todas las cosas están desnudas y abiertas a los ojos de aquel a quien tenemos que dar cuenta" (Hebreos 4:13).*

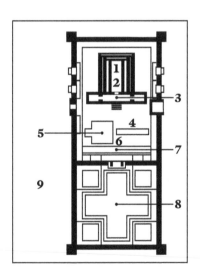

1. **Lugar santísimo**
2. **Lugar santo**
3. **Pórtico**
4. **Holocausto**
5. **Altar**
6. **Atrio de los sacerdotes**
7. **Atrio de Israel**
8. **Atrio de las mujeres**
9. **Atrio de los gentiles**

# DÍA 5

# *En la presencia de Dios*

Ahora usted se encuentra en la presencia de Dios. Este es un lugar santo. El Padre desea que usted se acerque a Él con sus necesidades. Él aguarda para brindarle lo que usted pida dentro de la voluntad de Él y se deleita en hacerlo así. Ya que usted le agradeció sus bendiciones, le rindió la alabanza que Él merece y le confesó sus pecados, está preparado para hablar con Él acerca de las necesidades, tanto suyas como de los demás.

## TRAIGA SUS NECESIDADES A DIOS

Cuando piense en orar por las necesidades, imagínese un sitio del templo llamado el lugar santísimo, la porción más sagrada del templo. En tiempos bíblicos, solamente el sumo sacerdote tenía acceso a esa cámara, la más íntima del edificio. Sin embargo, gracias a Cristo usted tiene acceso directo a Dios y puede acercarse a Él en la plenitud de su santidad con las necesidades más profundas de su corazón. Ya puede acercarse al sitio más íntimo del santuario mismo de Dios. En ese lugar santísimo, todas las cosas están desnudas delante de Él, como lo revela el versículo al margen.

En su devocional para hoy, lea **Hebreos 4**, que afirma que **Jesucristo es el único sumo sacerdote que usted necesita. Después de leer este pasaje, complete la Guía diaria de comunión con el Maestro en la página 71.**

En el capítulo que acaba de leer, Hebreos 4:14-16 (en la pág. 69), se afirma que Jesucristo, como nuestro sumo sacerdote, comprende nuestras necesidades.

¿Cómo le dice Hebreos 4:14-16 que usted se acerque al trono de gracia de Dios?

**Debemos acercarnos** _____

Usted puede acercarse al trono de Dios confiadamente porque, como lo dice la Escritura, Él está dispuesto a brindarle misericordia y gracia para el oportuno socorro. Él se complace en escuchar sus peticiones personales. ¿Cómo sabe que Jesús desea que usted ore libremente acerca de sus necesidades? Su versículo para memorizar esta semana lo asegura.

**Al pensar en la maravillosa promesa que hay en el versículo para memorizar esta semana, Juan 15:7, vuelva a repetir el versículo en voz alta. Al decirlo piense en un Dios amante que se deleita en escuchar sus pedidos.**

ORE POR USTED MISMO

Hoy estudiará dos clases de oraciones: petición e intercesión. Petición es pedir para uno mismo. Usted sabe que Dios anima a los creyentes a orar por sus necesidades personales porque su Palabra está colmada de oraciones contestadas. Por ejemplo, Lucas 1:13 contiene la respuesta de Dios a la petición de Zacarías por un hijo. Su ruego fue contestado con el nacimiento de Juan el Bautista.

Las respuestas de Dios a sus oraciones contribuyen a moldearlo en la persona que Dios quiere que usted sea. Él no favorecerá peticiones hechas por razones equivocadas. Tampoco responderá a aquello que pueda producir resultados no deseados en su vida. Lea 1 Juan 5:14, que figura en el margen.

**Haga una lista de motivos personales por los que desea orar. Use las siguientes categorías para ordenar su pensamiento, pero debido a esto no limite su lista ni crea que debe escribir una petición por cada categoría. Tal vez necesite más papel para extender su lista.**

**Relaciones con otras personas que honran a Cristo:** _____

_____

**La habilidad de administrar mi tiempo con sabiduría:** _____

_____

**Inquietudes con respecto a mi trabajo:** _____

_____

**Mi ministerio en la iglesia:** _____

_____

*"Por tanto, teniendo un gran sumo sacerdote que traspasó los cielos, Jesús el Hijo de Dios, retengamos nuestra profesión. Porque no tenemos un sumo sacerdote que no pueda compadecerse de nuestras debilidades, sino uno que fue tentado en todo según nuestra semejanza, pero sin pecado. Acerquémonos, pues, confiadamente al trono de la gracia, para alcanzar misericordia y hallar gracia para el oportuno socorro"* (Hebreos 4:14-16).

*"Y esta es la confianza que tenemos en él, que si pedimos alguna cosa conforme a su voluntad, él nos oye"* (1 Juan 5:14).

Orientación para mi vocación: _____

_____

Salud física y emocional: _____

_____

La capacidad de resistir la tentación: _____

_____

Necesidades materiales: _____

_____

Ahora deténgase y ore por algunos de esos motivos. Ore por la voluntad de Dios con respecto al resultado de esas situaciones e inquietudes.

## ORE POR LOS DEMÁS

El segundo tipo de oración por las necesidades es la intercesión, es decir orar por otros. La Biblia nos enseña que oremos unos por otros, como lo indica el pasaje de Santiago 5:16 en el margen. Jesús oró muchas veces por sus discípulos. Uno de los mejores ejemplos se encuentra en Juan 17, en que Jesús oró por sus discípulos antes de ir a la cruz. Una porción de dicha oración aparece en el margen. Usted ora por los demás por la misma razón que ora por usted: para que Dios los moldee en las personas que Dios quiere que sean. Al orar por otros Dios lo usa a usted como vehículo para cumplir su voluntad.

*"Confesaos vuestras ofensas unos a otros, y orad unos por otros, para que seáis sanados. La oración eficaz del justo puede mucho" (Santiago 5:16).*

*"Padre santo, a los que me has dado, guárdalos en tu nombre, para que sean uno, así como nosotros. No ruego que los quites del mundo, sino que los guardes del mal. Santifícalos en tu verdad; tu palabra es verdad" (Juan 17:11, 15, 17).*

¿Cuán importante es para usted interceder por los demás? Marque la respuesta que describa su caso.
❑ Estoy demasiado ocupado atendiendo mis propias necesidades como para orar por los demás.
❑ Intercedo por los demás después de ocuparme de otras áreas del ministerio.
❑ Intercedo por los demás solamente en casos de crisis extrema, como cuando alguien está gravemente enfermo.
❑ Interceder por los demás es muy importante para mí porque Dios puede usar mi intercesión para cumplir su voluntad.

Dios lo usa a usted como vehículo para cumplir su voluntad cuando usted ora por otros.

Deténgase y ore. Pídale al Padre que haga de usted un más ferviente intercesor por los demás.

Al mantener su lista para el pacto de oración durante las últimas semanas, usted ha intercedido por los demás. Al elevar a Dios sus inquietudes, usted ha sido un instrumento que Dios usa para cumplir su voluntad en la vida de los demás. Ahora es una buena oportunidad para revisar algunos de esos motivos de oración.

Escriba el nombre de dos personas que figuren en su lista para el pacto de oración y las necesidades de dichas personas. Describa las maneras en que Dios respondió su oración por dichos individuos. Aunque sólo haya recibido respuestas parciales o graduales, escríbalas a continuación. Luego ore, agradeciéndole a Dios haber escuchado su oración. Pídale que siga obrando su voluntad en la vida de tales personas.

| Nombre | Motivo | Respuesta |
|--------|--------|-----------|
| _____ | _____ | _____ |
| _____ | _____ | _____ |

Para repasar, escriba aquí los dos tipos de oración que estudió hoy. Consulte el texto de la lección si necesita refrescar la memoria.

Cuando ora por usted mismo: _____

Cuando ora por los demás: _____

Durante varias semanas usted ha cultivado su tiempo devocional diariamente. Aún cuando haya tenido dificultades para ello, busque a alguien con quien pueda compartir su testimonio acerca de tener un devocional diario. Dialogue con alguien que necesite desarrollar dicha práctica o con un amigo. Esto fortalecerá su determinación para tener un tiempo devocional.

¿QUÉ EXPERIENCIAS TUVO ESTA SEMANA?
Repase la sección "Mi andar con el Maestro en esta semana" al comienzo del material para esta semana. Marque las actividades terminadas con una línea vertical en el diamante. Termine toda actividad incompleta. Piense en lo que dirá durante la sesión de grupo acerca de su trabajo en tales actividades.

Al finalizar su estudio de "Orar con fe", reflexione en las experiencias que haya tenido esta semana.
• ¿Ha orado con fe esta semana?
• ¿El hábito del devocional va integrándose como parte regular de su vida?
• ¿Mantiene usted una lista para el pacto de oración y escribe las respuestas a sus oraciones?
Mediante el trabajo de esta semana espero que sepa mejor cómo el orar con fe ayuda a desarrollar las disciplinas de un discípulo y contribuye a tener una relación de obediencia a Cristo para toda la vida.

**GUÍA DIARIA
DE COMUNIÓN
CON EL MAESTRO**

**HEBREOS 4**

Qué me dijo Dios:

_____
_____
_____
_____
_____
_____
_____

Qué le dije yo a Dios:

_____
_____
_____
_____
_____
_____
_____

**Al comenzar sus oraciones con acción de gracias, alabanza y confesión antes de elevar pedidos significa que, para usted, el centro de su vida no es usted mismo, sino otra persona.**

El propósito de Jesús al enseñarle a los discípulos a orar era revelarles cómo conocer al Padre por medio de la oración. ¿Ha aprendido usted más acerca del Padre mediante el estudio de esta semana? ¿Cómo está ahora su relación de obediencia a Él para toda la vida? Felicitaciones por dar estos importantes pasos. No es fácil aprender a orar de la manera que Cristo desea que usted lo haga. Se requiere dejar de lado un estilo de vida egocéntrico y procurar la voluntad de Él en lugar de la voluntad suya. Al comenzar sus oraciones con acción de gracias, alabanza y confesión antes de elevar pedidos significa que, para usted, el centro de su vida no es usted mismo, sino otra persona.

Durante el proceso de *Vida discipular* usted seguirá estudiando cómo orar con fe. Cuando estudie el libro 3, comprobará la plenitud de todo lo que Dios quiere hacer en su vida a través de la oración. Seguir a Cristo significa que usted procura conocer y cumplir la voluntad de Él, no que se deslice sosegadamente por la vida. En el proceso de *Vida discipular* ya habrá comprobado los sacrificios que usted necesita hacer para andar con el Maestro y vivir en Él. Respaldo la voluntad suya de hacer tales sacrificios a fin de crecer como discípulo de Cristo.

# SEMANA 4

# *Tener comunión con los creyentes*

## La meta de esta semana
Crecer en su relación con Cristo por medio de su relación con el cuerpo de Cristo

## Mi andar con el Maestro en esta semana
Completará las siguientes actividades para desarrollar las seis disciplinas bíblicas. Cuando las haya completado trace una línea vertical en el diamante que está junto a la actividad.

### DEDICAR TIEMPO AL MAESTRO
◇ Tenga su devocional todos los días. Marque el recuadro junto a cada día que tuvo su devocional esta semana: ❑ domingo ❑ lunes ❑ martes ❑ miércoles ❑ jueves ❑ viernes ❑ sábado

### VIVIR EN LA PALABRA
◇ Lea su Biblia diariamente. Escriba qué le dice Dios y qué le dijo usted a Él.
◇ Memorice Juan 13:34-35.
◇ Repase Lucas 9:23, Juan 15:5, Juan 8:31-32 y Juan 15:7.

### ORAR CON FE
◇ Ore con su compañero de oración.
◇ Ore por sus prioridades y el uso que usted hace del tiempo.
◇ Agregue motivos en su lista para el pacto de oración.

### TENER COMUNIÓN CON LOS CREYENTES
◇ Cultive su amistad con una persona de la iglesia que no sea amiga suya o que no integre su grupo de Vida discipular.

### TESTIFICAR AL MUNDO
◇ Planee su tiempo usando la sección "Cómo redimir el tiempo" y el formulario.
◇ Lea "Cómo redimir el tiempo" y subraye lo que le corresponda.

### MINISTRAR A OTROS
◇ Continúe aprendiendo el diagrama de La cruz del discípulo. Explique el significado del listón derecho para completar la información sobre el círculo y el listón vertical que ya aprendió. Aprenda los versículos bíblicos.

## Versículo para memorizar esta semana
*"Un mandamiento nuevo os doy: Que os améis unos a otros; como yo os he amado, que también os améis unos a otros. En esto conocerán todos que sois mis discípulos, si tuviereis amor los unos con los otros" (Juan 13:34-35).*

# DÍA 1

## La marca de un discípulo

Cuando el misionero Bruce Schmidt estaba negociando la compra de tres acres de terreno en un valle en Uganda (África), para comenzar una obra misionera en una tribu no alcanzada por el evangelio, se encontró cara a cara con un líder de los *Karamojong*, una de las tribus más temibles del África oriental. En tono de demanda, el jefe preguntó "¿por qué estás aquí y qué quieres?"

Bruce le respondió que se encontraba en el valle por dos razones grandiosas: La gran comisión, la cual le explicó, y el gran mandamiento. "En el gran mandamiento Jesús dijo que debemos amar a Dios primeramente y amar a nuestro prójimo como a nosotros mismos. Yo quiero ser tu prójimo", le dijo Bruce.

Para sorpresa de Bruce, el líder de los *Karamojong* no expresó ninguna objeción. Por el contrario, pareció que las afirmaciones de Bruce lo habían conmovido. "Nadie quiere ser prójimo de los *Karamojong*. Somos la tribu más despreciada de toda Uganda. Todas las tribus vecinas a nosotros han sufrido el robo de ganado, la violación de sus mujeres y la muerte de sus hombres. ¡No podemos creer que tú quieras ser nuestro prójimo!", exclamó el hombre.

Cuando la reunión hubo terminado, Dios había derretido corazones de piedra. Con el tiempo, la temible tribu *Karamojong* le dio a Bruce y a sus compañeros de la misión 30 acres de terreno (unas 12 hectáreas) para su nueva obra misionera, todo ello por el amor al prójimo que Bruce les ofreció en Jesucristo. A pesar de que a la mayoría de nosotros no le ha tocado vivir en un país lejano con tribus hostiles como prójimos, como creyentes sufrimos frecuentemente la hostilidad de un mundo perverso. Como Bruce, se espera que amemos a nuestros "prójimos".

### AMÉMONOS LOS UNOS A LOS OTROS

Jesús nunca se propuso que usted viviera como un llanero solitario. Si no le da importancia a sus relaciones afectivas con los demás, usted no es un creyente equilibrado. Si usted trata de vivir alejado de la comunión con otros creyentes, la iglesia que es el cuerpo de Cristo, no podrá experimentar la plenitud de la vida en Cristo. El Señor nos ha puesto en un cuerpo de creyentes porque es difícil sustentar la vida fuera del cuerpo. Al permanecer unidos al cuerpo en comunión y al amarnos unos a otros, nos fortalecemos mutuamente.

**Al permanecer unidos al cuerpo en comunión y amarnos unos a otros, nos fortalecemos mutuamente.**

*"Un mandamiento nuevo os doy: Que os améis unos a otros; como yo os he amado, que también os améis unos a otros. En esto conocerán todos que sois mis discípulos, si tuviereis amor los unos con los otros"* (Juan 13:34-35).

 **Lea Juan 13:34-35 en el margen (su versículo para memorizar esta semana). Según lo que dijo Jesús, ¿cómo se conocería a los discípulos?**

Ahora vuelva a leer el pasaje de Juan 13:34-35 en voz alta, repítalo de una a tres veces para comenzar a memorizarlo.

Jesús dijo que una marca que identificaría a un discípulo es su amor por los demás. El amor le demuestra al mundo que usted es discípulo de Cristo. Amar a otros y tener parte en una agradable comunión con ellos demuestra que Cristo es el centro de su vida. Las relaciones afectivas están en el centro mismo de la vida en Cristo. Él mismo le demuestra cómo tener comunión con los demás. Jesús no les dijo a sus seguidores que siguieran su camino solos, sino que demostraran el amor del cual Él les había dado el ejemplo. Eso es lo que usted hace al tener comunión con otros creyentes.

**El amor le demuestra al mundo que usted es discípulo de Cristo.**

Lea los siguientes casos de estudios.

A Marta le encantaba la vida al aire libre y disfrutaba mucho caminar por el bosque. Aunque era creyente en Cristo, Marta no asistía a la iglesia, valiéndose de una excusa que mucha gente usa: "Puedo adorar mejor a Dios cuando disfruto de su creación". Los miembros de un grupo de estudio bíblico la invitaron a asistir, pero ella prefirió sus actividades al aire libre en lugar de dedicar tiempo a la adoración y el estudio bíblico con hermanos en la fe.

José hacía varios años que le había entregado su vida a Cristo, pero nunca se había incorporado a una iglesia local. A pesar de que ciertos miembros de la iglesia que vivían en su vecindario lo habían visitado, José decidió no asistir a la misma. Debido a que era un individuo tímido, no creía que podía relacionarse con personas que apenas conocía.

Subraye las excusas que usaron Marta y José para no aceptar la comunión con otros creyentes. ¿Qué clase de actividades escoge usted en lugar de tener comunión con los creyentes? Escriba una lista.

---

Explorar la creación de Dios es un modo maravilloso de reconocer sus bendiciones y su gloria. Sin embargo, eso no reemplaza la comunión que Cristo quiere que usted tenga con otros creyentes. Para algunas personas, la timidez ante los demás le coloca en una situación angustiosa, pero el Padre puede darle fortaleza para superar sus debilidades y así formar parte del cuerpo de Cristo. Cuando usted tiene vida en Cristo y permanece en Él, guarda sus mandamientos. Juan 15:12 dice: "Este es mi mandamiento: Que os améis unos a otros, como yo os he amado".

¿Qué dice Juan 15:12 en relación a amar a otras personas?

---

*"Considerémonos unos a otros para estimularnos al amor y a las buenas obras; no dejando de congregarnos, como algunos tienen por costumbre, sino exhortándonos; y tanto más, cuanto veis que aquel día se acerca" (Hebreos 10:24-25).*

*"Cada uno según el don que ha recibido, minístrelo a otros, como buenos administradores de la multiforme gracia de Dios" (1 Pedro 4:10).*

*"Como el Padre me ha amado, así también yo os he amado; permaneced en mi amor" (Juan 15:9).*

Juan 15:12 dice que usted debe amar a los demás porque Cristo lo mandó. El amor fluye de Dios a la humanidad a través de Cristo. Él dio el ejemplo de amor para usted y manda que se lo demuestre a otros. Si se aparta de la comunión con los demás, dificulta su capacidad para demostrarle su amor e impide que los demás le demuestren amor. El pasaje al margen, Hebreos 10:24-25, enseña que debemos congregarnos con otros creyentes.

La separación y el individualismo no son los métodos de Cristo. Él reúne a los creyentes como una familia. Debemos animar a nuestros hermanos en la fe a expresar amor unos a otros. Adorar juntos es una manera de recibir fortaleza y motivación de otros discípulos. Como lo indica el versículo de 1 Pedro en el margen, los cristianos deben ser parte de un cuerpo de creyentes; asimismo, deben usar sus dones para servir a otros y para recibir instrucción de la Palabra de Dios. Todo aquel que se declare cristiano pero no asista a la iglesia no obedece la Palabra de Dios y vive alejado de la voluntad de Él.

El amor abundante que Dios el Padre tiene por su Hijo, Jesucristo, es la fuente de amor que el Hijo tiene por sus seguidores. Tal amor es el ejemplo del amor que usted debe tener por otros. Las profundidades del amor de Jesús, que lo llevaron a la cruz, no deben sorprendernos, porque reflejan el amor que el Padre tiene por el Hijo. Lea el pasaje de Juan 15:9 en el margen.

### ESTUDIEMOS LA CRUZ DEL DISCÍPULO

La comunión con los creyentes es, entonces, la cuarta disciplina en la vida de un discípulo. Esta semana estudiará dicha disciplina y continuará aprendiendo y completando el diagrama de La cruz del discípulo. El listón vertical que usted estudió durante las dos semanas anteriores destaca su relación con Cristo a través de la Palabra y la oración. El listón horizontal que estudiará esta semana y la próxima subraya la importancia de su relación con los demás mediante la comunión y el testimonio.

Dibuje en el margen las porciones del diagrama de La cruz del discípulo que ya estudió. Dibuje un círculo con el nombre de *Cristo* en el centro y dibuje el listón vertical inferior con el vocablo *Palabra* escrito en el mismo. Luego dibuje el listón horizontal superior con el vocablo *oración* escrito en el mismo. Agregue los versículos correspondientes. Ahora dibuje el listón horizontal derecho y escriba la palabra *Comunión* en el mismo. Debajo de *Comunión* escriba Juan 13:34-35, los versículos correspondientes a esa disciplina. Si necesita ayuda con el dibujo, consulte el diagrama completo de la página 136.

Siga leyendo la Biblia durante su devocional diario. Hoy lea el pasaje de 1 Corintios 12:12-31, que describe la relación especial entre usted y los demás creyentes. Después de leer este pasaje, complete la Guía diaria de comunión con el Maestro en el margen de la página 77.

## DÍA 2

# *Responsable ante el pueblo de Dios*

**M**uchas veces Dios me ha demostrado que nada puedo hacer sin la comunión de los creyentes en el cuerpo de Cristo. Cuando estudiaba en la universidad, mis compañeros y yo decidimos llevar a cabo una colosal campaña de avivamiento juvenil en Borger, Texas, de donde era un amigo mío. Conseguimos prestado el auditorio de la escuela secundaria, preparamos y colocamos enormes carteles, anunciamos el acontecimiento por la radio y entregamos cartelones de invitación en las tiendas. Sin embargo, a último momento los directivos de la escuela secundaria nos dijeron que algunos líderes de iglesias de la comunidad (miembros de nuestra propia denominación) habían presionado a la escuela para que no nos prestaran las instalaciones. Debido a que no habíamos solicitado anticipadamente la participación de iglesias locales nuestro propio plan nos había perjudicado.

Yo oré: "Señor, no puedes abandonarnos después de todo lo que hicimos para prepararnos". Sin embargo, Él nos enseñó otra lección: Nada podíamos hacer sin Él. Habíamos emprendido nuestro plan para Dios con nuestras propias fuerzas en lugar de preguntarle lo que Él quería. Habíamos hablado y orado acerca de la campaña de avivamiento, pero luego habíamos avanzado con nuestros propios planes.

La experiencia fue una frustrante derrota, pero una lección bien aprendida. Nos alejamos de la ciudad convencidos de que no volveríamos a intentar nada sin la absoluta dirección de Dios y sin trabajar en el ámbito de la iglesia local.

**¿Tuvo usted alguna vez una experiencia decepcionante en el servicio cristiano porque trabajó fuera de la comunión de los creyentes? ❏ Sí   ❏ No   Si es así, describa su experiencia.**

_____

_____

_____

Mis amigos y yo no habíamos comenzado por orar a Dios con fe para que nos diera su dirección antes de seguir adelante. No le habíamos pedido a Dios que examinara nuestro corazón para determinar si los que impulsaban dichos planes eran nuestros propios intereses y aspiraciones de éxito. No habíamos procurado el respaldo de las iglesias locales. No lo habíamos hecho como parte del cuerpo de Cristo.

**Qué me dijo Dios:**

_____

_____

_____

_____

_____

_____

_____

**Qué le dije yo a Dios:**

_____

_____

_____

_____

_____

_____

_____

_____

Diga en voz alta sus versículos para memorizar esta semana. Escriba lo que dichos versículos le dicen a usted acerca de la importancia de la comunión con el pueblo de Cristo.

_____

_____

Tal vez respondió algo así: Puedo ser obediente a Cristo de diversas maneras, sin embargo, a menos que demuestre amor por su pueblo, no demostraré que soy discípulo suyo.

## DIOS OBRA A TRAVÉS DE OTROS

Muchas veces Dios se revela a través de los individuos que Él pone en su camino. La vida en Cristo incluye la disposición a vivir en comunión con hermanos y hermanas en la fe. A menudo, mediante esa comunión, otros le dan el mensaje recibido de Dios para que usted pueda ver un problema con más claridad o tomar la decisión adecuada. Los hermanos en la fe lo pueden ayudar a dar cuentas si se desvía de su camino. Pueden recordarle lo que dice la Palabra. Pueden ayudarlo en amor a reconocer que sus prioridades están desordenadas. El Padre obra a través de otros en la iglesia para cumplir su voluntad en la vida suya.

**Lea los siguientes estudios de casos y responda las preguntas correspondientes.**

Hacía años que Ana y su hija, ya adulta, no se hablaban. Ana realmente deseaba restaurar las relaciones entre ambas. Invitó a su hija para que la visitara en su casa durante un fin de semana a fin de restablecer el vínculo. Durante el fin de semana Ana pasó cada momento libre que tuvo preparando platillos para su hija y comprando regalos con la esperanza de que tales acciones persuadirían a su hija para mantener un trato más cercano. También le pidió a sus hermanos en la fe que oraran por ellas.

**En esa situación, ¿cómo podrían los hermanos de la iglesia demostrarle amor a Ana?**

_____

_____

Carlos tenía dos empleos para sostener a su familia. Pasaba tanto tiempo fuera de la casa que rara vez estaba a disposición de su esposa e hijos. Los niños deseaban que su padre asistiera a sus encuentros deportivos y eventos escolares, pero Carlos casi nunca podía hacerlo. Él se las arreglaba para llevar a su familia a la iglesia unas dos veces por mes.

**Muchas veces Dios se revela a través de los individuos que Él pone en su camino.**

**¿Cómo podría ayudar a Carlos su comunión con otros creyentes?**

_____

_____

En el relato de Ana puede que haya notado que los hermanos de la iglesia la podían haber visitado para orar con ella por su hija. Sin necesidad de aconsejarla, podrían haberla ayudado a analizar sus opciones. ¿Qué había hecho para solucionar la situación? ¿Acaso le había pedido disculpas por cualquier ofensa de su parte? ¿Había platicado Ana con el pastor de su iglesia o algún consejero creyente? Los hermanos de la iglesia podían invitarla a actividades de la iglesia para orientarla en su vida. En amor podrían darle el ejemplo de cómo mantenerse unida a la vid verdadera como fuente de sustento espiritual.

Para la situación de Carlos, puede que usted haya respondido que los hermanos de la iglesia podían ayudar en su situación. Podían ayudarlo a relacionarse para encontrar un empleo con mejor paga, lo cual eliminaría su necesidad de dos empleos. Podían invitarlo a actividades para familias planeadas por la iglesia para brindarle la oportunidad de dedicarle tiempo a sus hijos en un ambiente sano. Los hombres de la iglesia podían incluirlo en su grupo de apoyo. Podían ayudarlo a mantenerse unido a la vid verdadera como fuente de poder.

## UN INSTRUMENTO DEL AMOR DE CRISTO

Si usted desea ser un verdadero discípulo de Jesús y tener una relación de obediencia a Él para toda la vida, le demostrará amor a los demás. Lo hará al tener comunión con ellos y al ser un instrumento del amor de Cristo. El amor de Cristo puede fluir hacia ellos a través de usted. Con su ayuda podrán llegar a ser todo lo que Cristo desea que ellos sean. La sección (horizontal) derecha de la comunión en el diagrama de La cruz del discípulo le recuerda la importancia de sus relaciones con los demás.

 **Recite en voz alta los versículos para memorizar esta semana, Juan 13:34-35. Dígaselos a su compañero de oración cuando oren esta semana.**

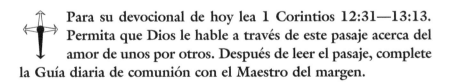 **Para su devocional de hoy lea 1 Corintios 12:31—13:13. Permita que Dios le hable a través de este pasaje acerca del amor de unos por otros. Después de leer el pasaje, complete la Guía diaria de comunión con el Maestro del margen.**

---

**GUÍA DIARIA
DE COMUNIÓN
CON EL MAESTRO**

**1 CORINTIOS 12:31—13:13**

**Qué me dijo Dios:**

_____

_____

_____

_____

_____

_____

_____

**Qué le dije yo a Dios:**

_____

_____

_____

_____

_____

_____

_____

## DÍA 3

~

# La ayuda para creyentes agotados

**La comunión con otros creyentes es esencial para evitar que uno se agote en su vida cristiana.**

La comunión con otros creyentes también es esencial para evitar que uno se agote en su vida cristiana. Roy Edgemon, mi colega de tantos años, fue uno de los tres hombres que "enviados por Cornelio[...] llegaron a la puerta". Fue él quien me animó a traer *Vida discipular* a los Estados Unidos. Roy recuerda una ocasión en que la comunión con otros creyentes (el aspecto de La cruz del discípulo que estudiamos esta semana) contribuyó a reanimarlo en medio de un agotamiento espiritual.

En su exigente condición de pastor en Texas, Roy estaba casi extenuado a causa de programas para construir templos y una activa participación en el liderazgo denominacional del estado. Una noche, un misionero de África llamado Bud Frey, condujo una reunión de avivamiento en la iglesia de Roy en Odessa, Texas. Mientras Frey describía un período reciente de agotamiento y cansancio, Roy se identificaba con lo que relataba el misionero. Frey dijo que un hermano en la fe lo amonestó diciéndole: "Tú luchas por la causa de Bud Frey, no por la causa de Cristo".

Este amigo lo instó a buscar "cómo tenía que obrar el Señor en él". Frey comenzó a cambiar su estilo de vida, agregó, para asegurarse de que cada día tendría su devocional y que mantendría una relación más personal con Cristo.

Roy escribió una nota en una pequeña hoja de papel y se la hizo alcanzar a Frey. La nota decía: "si sabes cómo puedo librarme de ese torbellino de actividades, quiero hablar contigo". Sin embargo, para bochorno de Roy, antes de que la nota llegara a Frey por el pasillo, un amigo llamado Bill Hogue leyó el mensaje y, debajo del comentario de Roy, escribió "yo también quiero que hablemos".

"Yo no quería que nadie supiera las condiciones en que estaba", dijo Roy. Sin embargo, él, Bill Hogue y sus esposas pasaron casi toda la noche conversando con Bud Frey y orando. El resultado de esa reunión cambió la vida de Roy.

"Comencé a levantarme más temprano para orar regularmente", recuerda Roy. "Hasta entonces, si en cada culto no había decisiones de fe públicas, yo lo tomaba como una derrota personal. Yo me ocupaba de la obra del Señor pero no le permitía que obrara a través de mí". La comunión con otros creyentes que tuvieron parte en su quebrantamiento contribuyó a animar a ese pastor y a restaurarlo a una vida útil en el Reino de Dios.

**En alguna ocasión en que usted estaba agotado espiritualmente y no experimentaba una vida victoriosa en Cristo, ¿lo ayudó la comunión con un hermano en la fe?   ❑ Sí   ❑ No   Si es así, describa su experiencia.**

_____

_____

_____

✝ **Hoy durante su devocional lea 2 Timoteo 1:1-14, un pasaje que describe la relación especial que había entre Pablo y Timoteo. Después de leer el pasaje, complete la Guía diaria de comunión con el Maestro al margen.**

## LOS BENEFICIOS DEL APOYO MUTUO

Usted también puede alentar a los demás al servir como instrumento de Cristo. Para usted es importante lo que le suceda a sus hermanos de la iglesia. Primera Corintios 12:27 dice: "Vosotros, pues, sois el cuerpo de Cristo, y miembros cada uno en particular". Si un miembro del cuerpo se agota, al experimentar enfermedad, la pérdida de un ser querido o una vida espiritual deteriorada, todo el cuerpo sufre y usted también. El cuerpo se preocupa por cada miembro del mismo, de manera tal que todos los miembros se perfeccionan en el amor de Cristo.

Gracias a los métodos de la tecnología moderna, como el correo electrónico, la comunión entre los creyentes puede extenderse de un extremo a otro del mundo. Uno de mis compañeros de trabajo utiliza regularmente el correo electrónico para animar a un pastor, que vive en otro estado, el cual tiene problemas con diversas personas en su congregación. Tal comunión que trasciende distancias y redes de computadoras puede contribuir a aliviar la soledad y el aislamiento de pastores que a veces sienten que en sus comunidades no hay suficientes hermanos en quienes confiar su aflicción. Los creyentes necesitan con urgencia la comunión con otros creyentes.

## TESTIMONIO MUTUO DE LO QUE DIOS HACE

Quizás Dios desee que usted contribuya a edificar el cuerpo mediante el testimonio de lo que Él hace en su vida. Mientras aprende lo que entraña ser discípulo de Cristo, usted crece en Él. ¿Le ha testificado a otros creyentes sobre la forma en que usted crece? Puede relatarle a los demás sobre sus experiencias al orar con fe, memorizar las Escrituras o tener un devocional diario. El testimonio de sus propias experiencias podría guiar a otro hermano a procurar una relación más estrecha con el Señor.

✝ **Mientras repasa hoy sus versículos para memorizar esta semana, en Juan 13:34-35, diga a alguien cómo ha crecido en Cristo mediante la memorización bíblica.**

**Deténgase y ore. Pídale a Dios que le revele cómo quiere que usted trabaje en el cuerpo de Cristo para animar a otros creyentes.**

---

## GUÍA DIARIA DE COMUNIÓN CON EL MAESTRO
### 2 TIMOTEO 1:1-14

**Qué me dijo Dios:**

_____

_____

_____

_____

_____

_____

_____

**Qué le dije yo a Dios:**

_____

_____

_____

_____

_____

_____

_____

_____

## DÍA 4

❧

# Lo que Cristo espera de los discípulos

*"Como el Padre me ha amado, así también yo os he amado[...] este es mi mandamiento: Que os améis unos a otros, como yo os he amado. Nadie tiene mayor amor que este, que uno ponga su vida por sus amigos"* (Juan 15:9, 12-13).

Cuando los discípulos tienen comunión con otros creyentes, se aseguran de que sus relaciones con los demás sean honrosas para el Señor. Las relaciones no tienen lugar por sí mismas. Necesitan cultivarse y sustentarse. Debido a que la naturaleza de todos nosotros es pecaminosa, podríamos tratar a otros descuidadamente. En la vida de un seguidor de Cristo no hay lugar para el odio, la jactancia, los celos ni las calumnias. Las Escrituras nos enseñan cómo Cristo espera que tratemos a quienes tienen comunión con nosotros.

## LA AMISTAD: UNA PRIORIDAD SUPERIOR

**Lea el pasaje de Juan 15:9,12-13 que figura en el margen. ¿Por qué debe amar a otras personas?**

_____

**En el corazón mismo de la amistad encontramos la disposición para _____ si fuera necesario.**

*"En todo tiempo ama el amigo, y es como un hermano en tiempo de angustia"* (Proverbios 17:17).

Usted ha de amar a otras personas porque el amor de Dios fluye hacia usted a través de Cristo. Jesús le dio tanta importancia a la amistad y la comunión de unos con otros que afirmó que un amigo debería dar incluso su vida por otro si fuera necesario. ¡Jesús hizo de la amistad una prioridad superior! Jesús dio su vida por los demás, y luego, algunos de sus discípulos hicieron lo mismo. La comunión con otros creyentes y el amor mutuo en una medida sacrificial como lo demostró Jesús son partes importantes de una relación de obediencia a Él para toda la vida.

*"Por tanto, si tu hermano peca contra ti, ve y repréndele estando tú y él solos; si te oyere, has ganado a tu hermano. Más si no te oyere, toma aún contigo a uno o dos, para que en boca de dos o tres testigos conste toda palabra"* (Mateo 18:15-16).

**Analice lo que dice la Biblia con respecto al modo en que los amigos deben tratarse. Lea los versículos impresos en el margen. Luego asocie cada referencia de la columna izquierda con la idea correspondiente en la columna derecha.**

*"Hermanos, no murmuréis los unos de los otros. El que murmura del hermano y juzga a su hermano, murmura de la ley y juzga a la ley"* (Santiago 4:11).

*"Lo que hemos visto y oído, eso os anunciamos, para que también vosotros tengáis comunión con nosotros; y nuestra comunión verdaderamente es con el Padre, y con su Hijo Jesucristo"* (1 Juan 1:3).

___1. Proverbios 17:17

___2. Mateo 18:15

___3. Santiago 4:11

___4. 1 Juan 1:3

a. Los amigos se consideran mutuamente en tal medida que se enfrentarían con amor si fuera necesario.

b. Los amigos no son chismosos ni dicen cosas dañinas uno de otro.

c. Los amigos desean lo mejor y presentan el mensaje de salvación a los que no conocen a Cristo.

d. Los amigos se aman mutuamente sin importar las situaciones.

Ahora repase las ideas que están en la columna a la derecha que describen las características de la amistad. Dibuje una estrella junto a la(s) característica(s) que represente el mayor desafío para sus relaciones de amistad. Deténgase y ore para que Dios lo cambie en tales áreas por medio del amor de Cristo.

Entre las ideas que usted marcó, ¿está el inciso *a. Se consideran mutuamente en tal medida que se enfrentarían con amor si fuera necesario?* A veces las personas suelen tener dificultades con esa cuestión. Creen que enfrentarse a un amigo no responde a una actitud cristiana porque estimula la hostilidad. En realidad, enfrentarse a un amigo con amor es un gesto bondadoso. A veces las personas le dicen a otro que tienen un problema con un amigo, sin embargo, nunca acuden a ese amigo directamente. Esa clase de comunicación indirecta podría deteriorar la relación, como también al cuerpo de Cristo. Los desacuerdos entre los miembros de una iglesia pueden agrandarse hasta afectar a otros. Con el tiempo las pequeñas diferencias impiden que el cuerpo de Cristo cumpla con su obra.

Jesús expresó cómo se espera que los creyentes resuelvan sus dificultades frente a frente. Estos versículos bíblicos indican cómo se relaciona un seguidor de Cristo con los demás. Usted aprenderá a comunicar sus sentimientos a otros en forma afectuosa y diplomática; de esa manera la comunicación se fortalecerá y no dañará la relación. Las respuestas para el ejercicio anterior son 1.d, 2.a, 3.b, 4.c.

## DESCUIDAR LAS RELACIONES TIENE UN COSTO

Es posible que se dé cuenta de que se ha aislado de personas que se preocupan por usted. ¿Evita a las personas en lugar de tener parte en la vida de ellas? ¿Prefiere evitar a las personas en lugar de arriesgarse a cultivar una relación? Debido a alguna experiencia en el pasado que le hizo sufrir tal vez prefiere aislarse en lugar de volverse a quedar indefenso ante alguien. Aunque asista a una iglesia, puede que evite tener amigos allí. Quizás piense que puede asistir al culto, escuchar el sermón y pasar el resto de la semana evitando a los hermanos en la fe.

**En el párrafo anterior, subraye las expresiones con las cuales usted pueda identificarse.**

Si evita tener comunión con los creyentes porque no desea arriesgar una relación de amistad, se pierde oportunidades de servir a su familia espiritual. El resultado más grave del descuido de la comunión con los creyentes es que inevitablemente pone distancia entre usted y Dios.

**Hoy durante su devocional lea 1 Tesalonicenses 2:1-3, un pasaje que describe el amor de Pablo por los creyentes de Tesalónica y su ministerio con ellos. Después de leer el pasaje, complete la Guía diaria de comunión con el Maestro al margen.**

---

# GUÍA DIARIA DE COMUNIÓN CON EL MAESTRO

## 1 TESALONICENSES 2:1-3

**Qué me dijo Dios:**

_____

_____

_____

_____

_____

_____

_____

**Qué le dije yo a Dios:**

_____

_____

_____

_____

_____

_____

_____

_____

El ejemplo de Pablo con los tesalonicenses podría guiarlo para relacionarse con los miembros de su grupo de *Vida discipular*. Es probable que ahora, después de cuatro sesiones de grupo juntos, usted ya esté formando un vínculo especial con los miembros del grupo. Aunque no haya conocido bien a algunas de esas personas antes de empezar a estudiar *Vida discipular*, como resultado de esta comunión podrían surgir amistades duraderas. Puede que comience a ver en tales personas algunas de las características de la amistad que usted estudió en la página 82. Sea agradecido por la confianza, el apoyo y la amistad que ha comenzado a desarrollarse en dicho grupo.

**Considere seriamente los versículos de Juan 15:12-13, que leyó varias veces esta semana y con amor interceda en oración ante el Padre por sus compañeros de grupo. Deténgase ahora y ore, por cada uno de los miembros del grupo de *Vida discipular*. Pídale a Dios que bendiga a cada persona a través de este estudio. Pídale que le ayude a ofrecer su amistad a sus compañeros del grupo.**

USEMOS EL TIEMPO CON EFICIENCIA
La falta de tiempo es una excusa que usted podría usar cuando evalúa por qué no aprovecha oportunidades, o las crea, para tener comunión con los creyentes. Tal vez ya le resulte difícil encontrar tiempo para ocuparse de sus tareas diarias para este estudio. Para el resto del día de hoy y para el día 5, aprenderá cómo ser mayordomo de su tiempo.

 **Las siguientes sugerencias podrían ayudarlo a usar su tiempo con más eficiencia. Mientras las lee, subraye las expresiones que parezcan relacionadas con usted.**

---

### CÓMO REDIMIR EL TIEMPO

Procuramos tener tiempo y lo anhelamos más y más. El tiempo ha llegado a ser nuestra posesión más valiosa. Nuestro mundo se ocupa primordialmente de la carrera contra el tiempo y el reloj impone el ritmo de nuestra vida. A veces señalamos nuestra falta de tiempo con cierto orgullo, como si dicha falta significara nuestra importancia.

### Pídale a Dios que le dé propósito a nuestro tiempo

El tiempo es el regalo de Dios para nosotros. El arte de tener tiempo sucede cuando vivimos de acuerdo a los propósitos de Dios. Somos responsables ante Él por cada minuto que nos otorga. Si lo escuchamos más atentamente, nuestra vida se vuelve más armoniosa. Cuando consideramos el tiempo como un regalo de Dios, le dedicamos el tiempo a cosas que concuerdan con sus propósitos. Llegamos a ser buenos mayordomos de nuestro tiempo y entonces tenemos tiempo para hacer las cosas que necesitamos realizar.

---

**Cuando consideramos el tiempo como un regalo de Dios, le dedicamos el tiempo a cosas que concuerdan con los propósitos de Él.**

### Pídale a Dios su dirección para cada día

El tiempo constituye una oportunidad que Dios nos da para descubrir y cumplir sus propósitos. Si creemos que Cristo es Señor de nuestro tiempo, podemos creer que Él tiene un plan para cada día, como así también para la totalidad de nuestra vida. Conocer la voluntad de Dios y cumplirla implica que conocemos su voluntad.

### Determine la importancia de cada cosa antes de hacerla

El apóstol Pablo dijo que la sabiduría se relaciona con el uso del tiempo: "Mirad, pues, con diligencia cómo andéis, no como necios sino como sabios, aprovechando bien el tiempo, porque los días son malos" (Efesios 5:15-16). La palabra original que se traduce como "aprovechando bien el tiempo" significa literalmente "usen cada oportunidad favorable que tengan". El tiempo de Dios es un valiosísimo producto de consumo. Él nos llama a invertir nuestras oportunidades en búsquedas que valgan la pena. El uso prudente del tiempo significa que estemos alertas a cada oportunidad para el ministerio y el testimonio cristiano. Aproveche el momento de decisión, el encuentro casual, el giro de la conversación, el incidente eventual. Prepárese, esté alerta para cuando ocurran esas oportunidades y aprovéchelas. ¡No pierda una oportunidad para ocuparse de la obra de Cristo!

### Haga las cosas en orden de importancia, pero manténgase atento a un cambio en la dirección de Dios.

Cuando obedecemos los propósitos de Dios experimentamos libertad. Jesús fue una persona libre pero vivió una vida sosegada. Él tuvo tiempo para hablar con una mujer extranjera a quien encontró junto al pozo de agua, para celebrar fiestas religiosas con sus discípulos, para admirar las flores del campo, para lavarle los pies a los discípulos, para responder con paciencia las inocentes preguntas que le hacían. Tenía tiempo para pasar una noche en oración antes de tomar una decisión importante.

Un tiempo dedicado a la meditación es bueno para la vida espiritual. Así volvemos a descubrir cómo afrontar las cosas serenamente, cómo descansar como Dios manda, cómo meditar y orar. En la quietud, volvemos a descubrir la paz interior que necesitamos. Hacemos una diferencia clara entre lo que es realmente importante y lo que es secundario.

> El uso prudente del tiempo significa que estemos alertas a cada oportunidad para el ministerio y el testimonio cristiano.

**Marque los beneficios que usted recibe al tener su devocional diario.**

❑ Aprender a afrontar las cosas serenamente
❑ Aprender a descansar como Dios manda
❑ Aprender a meditar y orar
❑ Volver a descubrir la paz interior
❑ Aprender a distinguir entre lo importante y lo secundario

Dibuje una estrella junto a la(s) característica(s) que todavía necesite mejorar.

Siga repasando sus versículos para memorizar esta semana, en Juan 13:34-35. Escríbalos en el margen, de una a tres veces. Siga repasando los versículos que memorizó anteriormente.

## DÍA 5

# *Modelo de amistad*

*"Vosotros sois mis amigos, si hacéis lo que yo os mando. Ya no os llamaré siervos, porque el siervo no sabe lo que hace su señor; pero os he llamado amigos, porque todas las cosas que oí de mi Padre, os las he dado a conocer"* (Juan 15:14-15).

*"No me elegisteis vosotros a mí, sino que yo os elegí a vosotros, y os he puesto para que vayáis y llevéis fruto, y vuestro fruto permanezca; para que todo lo que pidiereis al padre en mi nombre, él os lo dé. Esto os mando: Que os améis unos a otros"* (Juan 15:16-17).

*"Mas no ruego solamente por éstos, sino también por los que han de creer en mí por la palabra de ellos, para que todos sean uno; como tú, oh Padre, en mí, y yo en ti, que también ellos sean uno en nosotros; para que el mundo crea que tú me enviaste"* (Juan 17:20-22).

La amistad constituyó la idea central de uno de los últimos mensajes de Jesús a sus discípulos. Él quería que sus seguidores más amados supieran todo lo que necesitaban saber para realizar su obra una vez que ya no estuviera físicamente en la tierra.

**Lea los versículos bíblicos del margen. Subraye dos cosas que Jesús consideró importantes para comunicarle a sus discípulos.**

Jesús deseaba que sus discípulos supieran que Él los consideraba sus amigos, no sus siervos. La relación de ellos era la de amigos que se amaban mutuamente en comunión. También quiso que supieran que Él les había enseñado todo lo que había aprendido del Padre. A diferencia del modo reservado en que algún otro trataría a sus siervos, el maestro dialogaba abiertamente de sus asuntos con los discípulos. Él les recordaba que tendrían todo el conocimiento necesario para cumplir con la obra una vez que Él partiera.

Tal como los discípulos, usted tiene todo el conocimiento necesario para cumplir con la obra del Padre. Jesús es su amigo. Él estableció el modelo de comunión y usted, como discípulo de Cristo, puede obrar según ese ejemplo.

**Lea el pasaje de Juan 15:16-17 en el margen y subraye las tres cosas que Jesús deseaba que sucedieran en la vida de sus discípulos.**

Este pasaje destaca la importancia que Jesús le daba a la comunión con los creyentes. Él destacó tres razones por las cuales escogió a los discípulos: Los llamó para (1) fructificar, (2) orar al Padre en el nombre de Jesús, y (3) amarse unos a otros. En la semana 3 usted aprendió acerca de la segunda de esas razones al estudiar cómo orar con fe. Estudiará más acerca de fructificar durante la semana 5. La tercera prioridad, de amarse unos a otros, constituye el punto central del estudio para esta semana. El amor cristiano no es la característica exclusiva de discípulos extraordinarios. Es la característica de todos los discípulos.

## UN CUERPO ROBUSTO

El ánimo que se origina en la comunión con los creyentes también le da a usted fortaleza para testificar. Juan 17:20-22, describe la unidad completa que Cristo desea de su cuerpo. Las personas unidas en Cristo pueden ser testigos eficaces para evangelizar. Jesús deseaba la unidad de la iglesia, no la división de la misma, a fin de que otros pudieran creer en Él. El mundo perdido no podrá ver que se ofrezca algo distinto en una iglesia donde se polemiza y no se demuestra el amor mutuo.

Además, los creyentes necesitan del estímulo mutuo cuando procuran ganar a otros para Cristo. Los hermanos de la iglesia pueden orar por usted, animarlo y ayudarlo a depender de las Escrituras mientras usted se prepara para testificar de su fe. La iglesia puede hacerlo sentir útil y apoyado cuando usted testifique a personas que necesitan del Señor.

Si usted tiene amigos, compañeros de trabajo, familiares u otras relaciones que no conocen a Jesús, puede que haya anotado sus nombres en su lista para el pacto de oración. Siga orando con fe para procurar la fortaleza del cuerpo de Cristo para las oportunidades de testimonio que el Padre ponga en su camino.

 **Deténgase ahora y revise su lista para el pacto de oración. Quizás el estudio de hoy le haya recordado otras personas o motivos de oración. Agréguelos ahora en la lista.**

 **Diga en voz alta sus versículos para memorizar esta semana, Juan 13:34-35, a alguien que usted considere un amigo sincero. Aproveche esta ocasión para agradecerle su amistad a esa persona.**

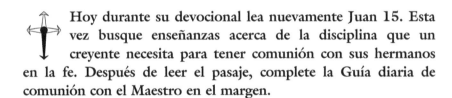 **Hoy durante su devocional lea nuevamente Juan 15. Esta vez busque enseñanzas acerca de la disciplina que un creyente necesita para tener comunión con sus hermanos en la fe. Después de leer el pasaje, complete la Guía diaria de comunión con el Maestro en el margen.**

## NO SÓLO CON QUIENES SE ESTÁ A GUSTO

Quizás sea sencillo para usted fraternizar con otros creyentes en tanto que se mantenga en su propio ambiente. Es probable que en su grupo de estudio bíblico, en su grupo de *Vida discipular* o en otra área de su iglesia, usted cuente con un círculo de amigos con quienes esté a gusto. Sin embargo, cuando Cristo le manda amar a los demás, Él no limita el grupo de personas a quienes usted ha de amar. Puede que a veces necesite ofrecer su amistad a personas que no pertenecen a su círculo de amigos inmediatos.

 **Cultive su amistad con una persona de la iglesia o compañera de trabajo que no sea amiga suya o que no integre su grupo de *Vida discipular*.**

---

**GUÍA DIARIA
DE COMUNIÓN
CON EL MAESTRO**

**JUAN 15**

**Qué me dijo Dios:**

_____

_____

_____

_____

_____

_____

_____

**Qué le dije yo a Dios:**

_____

_____

_____

_____

_____

_____

_____

_____

Cuando piense en tratar a alguien que no es parte de sus relaciones habituales, es probable que vuelva a surgir la vieja protesta del tiempo que le falta. Quizás diga: *Apenas tengo tiempo para las necesidades de mi familia y para mí mismo. ¿Cómo es posible que me pidan que dedique tiempo a conocer a otra persona?* Ayer usted leyó acerca de redimir el tiempo para ser mejor mayordomo de su tiempo. Hoy aprenderá a usar un formulario de la sección "Cómo redimir el tiempo" para ordenar sus prioridades. Encontrará dicho formulario en la página 138.

A pesar de que me guste hacer las cosas espontáneamente, he aprendido que diariamente debo planear mi horario a fin de hacer lo importante. Para ello me valgo del proceso de la sección "Cómo redimir el tiempo". Nunca logro terminar con todo lo que planeo hacer, pero por lo menos sé que me he ocupado de lo importante.

 **He aquí las instrucciones para usar Cómo redimir el tiempo. Mientras lee, subraye las partes que sean importantes para usted.**

---

### INSTRUCCIONES PARA USAR LA SECCIÓN CÓMO REDIMIR EL TIEMPO

1. Confíe en el Señor para que lo dirija en todo lo que haga. Proverbios 3:5-6.
   - Pídale a Dios que le revele los propósitos de Él para usted en su reino. Mateo 6:33.
   - Haga listas anuales, mensuales y semanales de las metas más importantes que usted crea que Dios le ha dado.

**Planee su trabajo diario bajo la dirección del Maestro.**

2. Planee su trabajo diario bajo la dirección del Maestro. Proverbios 16:9.
   - Escriba una lista en el formulario de la sección "Cómo redimir el tiempo" con las cosas que necesita hacer, ordenándolas en categorías básicas.
   - En la columna de "Tiempo" del formulario, escriba la cantidad de tiempo que estima necesitará para completar cada tarea. Puede que prefiera escribir la hora del día en que planee hacerlo, por ejemplo. "Ver al Sr. González, 9:00-9:30".
   - Ordene las tareas con un número que indique su importancia, según sus prioridades, y escriba dicho número en la columna de "Prioridad" del formulario. Los minutos que usted dedique a planear le ahorrarán horas. Separe un tiempo para planear al comienzo de cada día, 10 ó 15 minutos le ahorrarán horas después.
3. "Encomienda a Jehová tus obras, y tus pensamientos serán afirmados" (Proverbios 16:3).

**Dependa del Señor para que Él dirija sus actos.**

4. Dependa del Señor para que Él dirija sus actos. Proverbios 16:9.
   - Haga las tareas en el orden planeado para ahorrar tiempo y para recibir dirección inmediata sobre la siguiente tarea a realizar.

> - Cuando Dios lo dirija a hacerlo de otra manera, siga dicho cambio de dirección. Pídale a Dios su dirección, porque Satanás también podría impedir que usted obedezca a Dios. Pregúntese:
>   —*¿Es esta una de las prioridades de Dios que yo no esperaba?*
>   —*¿Trata Dios de enseñarme algo?*
>   —*¿Quiere Dios que yo ayude a alguien a quien no tenía en cuenta?*
>   —*¿Contribuye eso a una de mis metas a largo plazo? Si es así, ¿es esta una prioridad de tanta importancia que merece interrumpir mi lista de prioridades para hoy?*
>   —*¿Es importante o es simplemente urgente?*
>   —*¿Es este momento la mejor hora de hacerlo? ¿Podría hacerlo en algún otro momento?*
>   —*¿Podría delegarse a otra persona?*
>   —*¿Dependen las responsabilidades de otra persona para que me ocupe de eso?*
> 5. Disciplínese para llevar a cabo sus planes. Proverbios 16:32.
>    - La clave del dominio propio es someterse al dominio del Maestro.
>    - Cuando fracase, no malgaste su tiempo acusándose y sintiéndose culpable. Pida perdón y sométase al Maestro.
> 6. Déjele los resultados a Dios. Proverbios 16:33.

Al finalizar el día, después de haber usado su formulario de la sección "Cómo redimir el tiempo", vuelva a evaluar las tareas que no haya terminado. No se preocupe porque no pueda hacer todo lo que planeaba; considere que se ocupó de las cosas más importantes bajo la dirección de Dios. Encomiéndelas al Señor esta noche y mañana agréguelas en la lista con la prioridad que cada tarea merezca ese día.

Evalúe con cuánta frecuencia le parece que logra las metas de las instrucciones para usar la sección Cómo redimir el tiempo. Trace un círculo alrededor del número que corresponda: 4 = siempre, 3 = generalmente, 2 = con frecuencia, 1 = a veces. Luego ore por las áreas que necesita mejorar.

**Confío en el Señor para que me dirija en todo lo que hago.**
4     3     2     1

**Planeo mi trabajo diario bajo la dirección del Maestro.**
4     3     2     1

**Encomiendo al Señor mis planes.**
4     3     2     1

**Dependo del Señor para que Él dirija mis actos.**
4     3     2     1

**No se preocupe porque no pueda hacer todo lo que planeaba; considere que se ocupó de las cosas más importantes bajo la dirección de Dios.**

**Si usted organiza su vida para mantener un balance correcto, puede ministrar constantemente a otros sin agotar sus recursos espirituales.**

Ahora comience a planear su tiempo mediante la sección Cómo redimir el tiempo y el formulario correspondiente en la página 138. Mientras lee, subraye las partes que sean importantes para usted. Si ya utiliza otro sistema para organizar su tiempo, aplique estos mismos principios en su proceso.

Deténgase y ore. Pídale a Dios que lo ayude a organizar sus prioridades de manera tal que honren a Cristo, y pídale que lo ayude a usar su tiempo sabiamente.

## ESTUDIEMOS LA CRUZ DEL DISCÍPULO

Puede usar el diagrama de La cruz del discípulo para mantener ordenadas sus prioridades y para tratar de lograr sus metas en las instrucciones para usar la sección Cómo redimir el tiempo. La cruz nos muestra dos medios de sustento para el creyente: la oración y la Palabra de Dios. Asimismo, nos muestra dos medios de salida: la comunión y el testimonio. Estudiará acerca del testimonio durante la semana 5. Si usted organiza su vida para mantener un balance correcto entre el sustento y el rendimiento, el desarrollo espiritual y físico, el estímulo mental y social, y el tiempo dedicado a sus necesidades y a los demás, entonces puede ministrar constantemente a otros sin agotar sus recursos espirituales.

Para resumir lo que aprendió esta semana, dibuje al margen las porciones del diagrama de La cruz del discípulo que ya ha estudiado, con los versículos que corresponden a cada disciplina. Prepárese para explicar lo que ha aprendido de La cruz del discípulo en la siguiente sesión del grupo.

## ¿QUE EXPERIENCIAS TUVO ESTA SEMANA?

Repase la sección "Mi andar con el Maestro en esta semana" al comienzo del material para esta semana. Marque las actividades que haya completado con una línea vertical en el diamante. Termine toda actividad incompleta. Piense en lo que dirá durante la sesión de grupo acerca de su trabajo en tales actividades.

Al finalizar su estudio de "Tener comunión con los creyentes" tenga presente las experiencias que tuvo esta semana. Debe haber aprendido la diferencia que puede marcar en su vida cristiana la comunión con otros creyentes. Espero que al completar sus actividades, le haya pedido al Señor que examine las áreas en las que usted no ama a otros como Él manda. A veces ese tipo de examen nos resulta incómodo ya que podría revelar que sus mejores intenciones no harán de usted un discípulo de Cristo hasta que obedezca el mandamiento acerca de la comunión y el amar a los demás. Aprecio su valor al pedirle al Señor que examine su corazón.

# SEMANA 5

# *Testificar al mundo*

## La meta de esta semana

Dar testimonio de Cristo y de su relación con Él.

## Mi andar con el Maestro en esta semana

Completar las siguientes actividades para desarrollar las seis disciplinas bíblicas. Cuando haya completado cada actividad trace una línea vertical en el diamante que está junto a la actividad.

### DEDICAR TIEMPO AL MAESTRO

◇ Tenga su devocional todos los días. Marque el recuadro junto a cada día que tuvo su devocional esta semana: ❏ domingo ❏ lunes ❏ martes ❏ miércoles ❏ jueves ❏ viernes ❏ sábado

### VIVIR EN LA PALABRA

◇ Lea su Biblia diariamente. Escriba qué le dijo Dios y qué le dijo usted a Él.
◇ Memorice Juan 15:8.
◇ Repase Lucas 9:23, Juan 15:5, Juan 8:31-32, Juan 15:7 y Juan 13:34-35.
◇ Estudie las razones por las cuales memorizar las Escrituras en "Cómo memorizar las escrituras".

### ORAR CON FE

◇ Ore por sus prioridades y el uso que usted hace del tiempo.
◇ Ore por los miembros de su grupo de *Vida discipular*.

### TENER COMUNIÓN CON LOS CREYENTES

◇ Cuéntele algunos de sus problemas a su compañero de oración. Ore por las necesidades suyas y las de su compañero de oración.

### TESTIFICAR AL MUNDO

◇ Repase "Cómo redimir el tiempo". Úselas para planear sus días y semanas.
◇ Hágase amigo de una persona que no sea creyente. Conozca tanto como pueda acerca de ese nuevo amigo y prepárese para hablar de él en su grupo de *Vida discipular*.

### MINISTRAR A OTROS

◇ Continúe aprendiendo el diagrama de La cruz del discípulo. Explique el significado del listón horizontal izquierdo para completar la información que ya aprendió.

## Versículo para memorizar esta semana

*"En esto es glorificado mi padre, en que llevéis mucho fruto, y seáis así mis discípulos"* (Juan 15:8).

# DÍA 1

## *Fructificar para Cristo*

**El Espíritu Santo nos capacita para testificar.**

Cuando era estudiante universitario, después de asumir mi compromiso inicial para ser discípulo de Cristo, sentí una gran necesidad de empezar a testificar. Unas cuatro noches por semana comencé a asistir a una misión cristiana de rescate administrada por estudiantes universitarios. Pensé que testificaría allí, pero nuevamente nadie venía a Cristo. Memorizaba pasajes bíblicos para responder a las excusas que oía de las personas que rechazaban el evangelio. Estaba "armado" con unas 50 porciones memorizadas; podría replicar casi cualquier objeción, pero todavía no había descubierto el verdadero secreto: El Espíritu Santo es quien nos capacita para testificar. Él da testimonio por medio de nosotros. Cuando le permití que me llenara, las personas a quienes yo había testificado comenzaron a entregarse a Cristo.

*"En esto es glorificado mi padre, en que llevéis mucho fruto, y seáis así mis discípulos" (Juan 15:8).*

### UN DESEO NATURAL POR TESTIFICAR

Cristo desea que sus discípulos fructifiquen. Su versículo para memorizar esta semana, Juan 15:8, dice que la manera de evidenciar que usted es discípulo de Cristo es llevar mucho fruto. Si mantiene una relación de obediencia a Cristo, usted va a querer testificar acerca de tal relación a sus amigos. De la misma manera que una joven que va a casarse desea hablar de su novio, usted deseará hablar de Cristo. La rama que vive unida a la Vid fructifica. Si practica las disciplinas alrededor de La cruz del discípulo, deseará testificarle a los no creyentes. Si tiene comunión con el pueblo de Dios, mientras vive diariamente en la Palabra y ora con fe, usted testificará en forma natural y normal a los demás acerca del Cristo que vive en usted. Cuando el amor de Dios fluya hacia usted y los demás, a través del Hijo, deseará testificar de las buenas noticias de Cristo a quienes lo rodean.

**Cuando el amor de Dios fluya hacia usted y los demás, a través del Hijo, deseará testificar de las buenas noticias de Cristo a quienes lo rodean.**

 **Según Juan 15:8, ¿qué ha de hacer usted para evidenciar que es discípulo de Cristo?**

_____

**Según dicho versículo, ¿cómo glorificará usted a Dios?**

_____

Si usted es discípulo de Cristo, lo demostrará llevando frutos para Él. Lo hará como resultado natural de seguirlo a Él. No lo hará por sus medios, como yo traté de hacerlo al principio. Usted permitirá que el Espíritu Santo lo capacite para la obra. Cuando fructifica para Él, usted glorifica al Padre. El Señor lo usa para enseñarle a otros acerca de Él.

## EL FRUTO DE UNA VIDA EN CRISTO

¿Qué quiere decir Cristo cuando habla de fructificar? El pasaje de Gálatas 5:22-23, en el margen, describe el fruto del Espíritu, es decir las características de Cristo que el Espíritu Santo produce en usted cuando permanece en Cristo. ¿Cómo se relaciona el hecho de fructificar con su vida cristiana?

 **Lea en voz alta el versículo para memorizar esta semana, Juan 15:8, que figura al margen. ¿Cuál es el fruto que se espera que usted produzca?**
❏ **El fruto del Espíritu, según Gálatas 5:22-23**
❏ **Producir otros creyentes**

En realidad, ambas respuestas son correctas. Para comprender mejor el propósito de fructificar, considere qué ocurre cuando una vid produce uvas. Una vid no produce fruto simplemente para que una persona se lo coma; el fruto también permite que las semillas de dicha planta se diseminen. Usted es cristiano no simplemente para producir el dulce fruto de las buenas obras. Como creyente, usted vive una vida que refleja las características que lo asemejan a Cristo. El fruto del Espíritu mencionado en Gálatas 5:22-23 fluye naturalmente de su vida si usted permanece en Cristo y mantiene una relación de obediencia a Él para toda la vida. El resultado de producir fruto espiritual es ganar otros creyentes.

Para ilustrar esto, identifique algunas de las cosas que el mundo necesita, con todas sus aflicciones y dificultades.

**Verifique las cualidades que necesita el mundo y que figuran en Gálatas 5:22-23.**

❏ **amor** ❏ **paciencia** ❏ **fe**
❏ **gozo** ❏ **benignidad** ❏ **mansedumbre**
❏ **paz** ❏ **bondad** ❏ **templanza**

¿Es el amor una de las cosas que marcó que el mundo necesita? Ciertamente, el mundo necesita amor, pero las personas lo buscan en los lugares equivocados. Una manera de mostrar el carácter de Cristo es demostrar amor, por ejemplo, al amar a su enemigo. Cuando otros ven que usted hace eso, podrían quedar muy sorprendidos. Tal vez le pregunten: "¿Cómo es que puedes amar así? ¿Cómo puedes amar a personas que te tratan mal?" Esa es su oportunidad para que brote la semilla. Puede responder: "La verdad es que yo no puedo amar así, pero Cristo puede amar a esa persona a través de mí". Su vida es un testimonio, pero su testimonio hablado también es necesario para glorificar a Dios en lugar de a usted mismo. Sería erróneo aceptar los méritos de sus buenas obras porque esa es su oportunidad para darle gloria a Dios. Sólo a través de Cristo puede usted amar a su enemigo. Demostrar ese fruto del Espíritu le permite plantar una semilla que fructifique.

**¿Qué sucedería si usted demostrara amor sin decirle a los demás por qué lo hace?**

*"En esto es glorificado mi padre, en que llevéis mucho fruto, y seáis así mis discípulos" (Juan 15:8).*

*"Mas el fruto del Espíritu es amor, gozo, paz, paciencia, benignidad, bondad, fe, mansedumbre, templanza, contra tales cosas no hay ley" (Gálatas 5:22-23).*

**El resultado de producir fruto espiritual es ganar otros creyentes.**

**Un seguidor de Cristo confiesa a Cristo como la razón de su amor.**

Si usted plantara la semilla sin decirle a los demás la razón por la cual lo hizo, ellos pensarán que usted simplemente es diferente. Además de demostrar el fruto del Espíritu, un seguidor de Cristo confiesa a Cristo como la razón de su amor. Usted tiene una oportunidad para testificar cuando planta la semilla del amor y fructifica en su vida. El Señor lo usa para enseñarle a otros acerca de Él.

Puede que también haya respondido que el mundo necesita paz, la cual las personas también buscan en los lugares equivocados. Cuando ellos vean paz en su vida, que es diferente al caos del mundo, se preguntarán qué hay diferente en usted. Sin embargo, si no les dice que tiene paz y serenidad aún en medio del caos porque la paz de Cristo vive en usted, no comprenderán cuál es el origen de su paz. Si una persona comenta acerca de su serenidad cuando usted experimenta dificultades, usted puede responder "¿Puedo contarte la experiencia que tuve con Cristo la cual me ayuda a responder de esta manera?" Este es un modo excepcional de presentar a Cristo como el origen de su paz.

El mundo verdaderamente necesita gozo. Usted puede ser una persona gozosa e irradiar su gozo. En lugar de ser presa del pánico cuando pasa por dificultades, podría mirar las cosas por el lado positivo. Si las personas notan que usted busca lo bueno de una situación mala, o que rehúsa darse por vencido cuando debe afrontar más de lo normal, ellos lo perciben. Si confiesa que Cristo es la fuente de gozo de su vida, usted produce el fruto que Cristo desea para sus discípulos.

**Describa una ocasión en que haya usado como oportunidad para testificar el comentario de otra persona acerca de una característica positiva en usted.**

_____

**Hemos observado tres aspectos del fruto del Espíritu que se mencionan en Gálatas 5:22-23: amor, gozo y paz. Las tres características siempre podrían conducirlo a testificar. Escoja ahora uno de los aspectos restantes del fruto del Espíritu y describa cómo podría llegar a ser una semilla para el testimonio hablado.**

❑ paciencia      ❑ fe
❑ benignidad      ❑ mansedumbre
❑ bondad      ❑ templanza

_____

_____

_____

**Fructificar también incluye el resultado: Producir otro seguidor de Cristo.**

EL FRUTO DE NUEVOS CREYENTES
Como ya ha aprendido, fructificar puede significar que usted tenga el fruto del Espíritu en su vida. Fructificar también incluye el resultado:

Producir otro seguidor de Cristo. En Mateo 4:19, Jesús dijo: "Venid en pos de mí, y os haré pescadores de hombres". Fructificar es el resultado normal y natural de una vida cuyo centro es Cristo.

Quizás se pregunte: *¿Cómo aprenderé a testificar si todos mis amigos son creyentes? Estoy dispuesto a obedecer y fructificar, pero ¿cómo puedo encontrar a quien evangelizar?* Una de las maneras es ensanchar sus horizontes para relacionarse con personas que no se incluyen en su círculo de amigos.

 **Hágase amigo de una persona que no sea creyente. Conozca tanto como pueda acerca de ese nuevo amigo y prepárese para hablar de él en su grupo de *Vida discipular*.**

---

## ESTUDIEMOS LA CRUZ DEL DISCÍPULO

Esta semana aprenderá el significado del cuarto listón del diagrama de La cruz del discípulo: Testificar al mundo. Así como el listón vertical representa las dos maneras que tiene un discípulo para relacionarse con Dios, es decir la Palabra y la oración, el listón horizontal representa las dos maneras que tiene un discípulo para relacionarse con los demás, es decir por medio de la comunión y el testimonio. La cruz ilustra la vida equilibrada de un discípulo de Cristo.

**Dibuje las partes de La cruz del discípulo que ya ha estudiado. Dibuje el listón horizontal de la izquierda y escriba la palabra *testimonio* en ella. Si necesita ayuda con el dibujo, consulte el diagrama completo de la página 136.**

**Hoy, durante su devocional, lea Gálatas 5, el capítulo que contiene los versículos que estudió acerca del fruto del Espíritu. Después de leer el pasaje, complete la Guía diaria de comunión con el Maestro al margen.**

---

### GUÍA DIARIA DE COMUNIÓN CON EL MAESTRO

### GÁLATAS 5

Qué me dijo Dios:

_____

_____

_____

_____

_____

_____

_____

Qué le dije yo a Dios:

_____

_____

_____

_____

_____

_____

_____

_____

# Hay que confiar en Cristo

**Debido a que seguí confiando en Cristo como mi fuente de poder en lugar de depender de mi propia fuerza, aquel hombre fue salvo.**

A medida que el Espíritu Santo obraba a través de mí y a medida que comencé a testificar con mayor eficiencia, lo hice, con frecuencia, en la calle o en los bares. Una noche, al testificar en un bar, hablé con un hombre que parecía absolutamente persuadido de su necesidad de salvación.

En ese momento el encargado del bar me dijo que mi presencia no era grata en el bar e hizo que me marchara. Me angustié mucho debido a la tremenda carga que tenía el hombre que había hablado conmigo. Cuando salí del bar, crucé la calle hacia mi automóvil, me arrodillé en el asiento de atrás y le rogué al Señor que guiara a aquel hombre a entregar su vida a Cristo. En ese momento oí un golpeteo en la ventanilla. Al levantar la vista, noté que aquel hombre estaba de pie junto a mi automóvil. Hablamos por unos minutos y él recibió a Cristo.

Fue una respuesta a una oración que ilustró cómo usa Dios las seis disciplinas de La cruz del discípulo para cumplir sus propósitos. Debido a que seguí confiando en Cristo como mi fuente de poder en lugar de depender de mi propia fuerza, aquel hombre fue salvo.

**¿Ha sido Cristo su fuente de poder cuando ha testificado? Describa una ocasión en la que, al testificar, Cristo le dio las palabras que debía decir y la fortaleza para decirlas.**

_____

_____

*"Yo soy la vid verdadera, y mi Padre es el labrador. Todo pámpano que en mí no lleva fruto, lo quitará; y todo aquel que lleva fruto, lo limpiará, para que lleve más fruto. Ya vosotros estáis limpios por la palabra que os he hablado. Permaneced en mí, y yo en vosotros. Como el pámpano no puede llevar fruto por sí mismo, si no permanece en la vid, así tampoco vosotros, si no permanecéis en mí"* *(Juan 15:1-4).*

**Lea el pasaje de Juan 15:1-4 en el margen. Luego marque las ideas que sean correctas.**
❑ **Para el creyente, fructificar no es una opción.**
❑ **Se espera que algunos creyentes fructifiquen y que otros no.**
❑ **Cristo lo limpia a usted para que pueda fructificar más.**
❑ **Fructificar depende de que uno permanezca en Cristo.**

Quizás usted crea que testificar es sólo para las personas que tienen personalidades expresivas. Si no tiene facilidad para conversar o no tiene tiempo para testificar, puede que piense que no está obligado a hacerlo. Tal vez piense que testificar no es su punto más fuerte. Sin embargo, Juan 15:1-4 dice que las personas que permanecen en Cristo fructifican. No dice que solamente algunos creyentes fructifican. Se espera que todos los creyentes fructifiquen. Mediante su Palabra, Cristo lo ha limpiado a usted para que pueda fructificar más. Pero no podrá fructificar apartado de Cristo, como aprendí yo en mis intentos inútiles para testificar con mi propia fuerza. Cuando confié en Cristo como mi fuente de poder y di testimonio de mi relación de obediencia a Él para toda la vida, mi testimonio se volvió más eficiente. En el ejercicio anterior, todas las ideas son correctas, excepto la segunda.

**¿Alguna vez buscó usted excusas para no testificar?** ❑ Sí    ❑ No

 **Trate de recitar Juan 15:8 una o más veces, es el versículo para memorizar esta semana. Escriba lo que dice sobre poner excusas para no dar testimonio.**

_____

_____

Tal vez haya respondido algo así: Este versículo expresa que los discípulos de Cristo dan fruto espiritual. Si quiero ser su discípulo, no hay excusa válida para no dar testimonio.

¿Cómo le está yendo con la disciplina de memorizar la Escritura? Hasta hoy, ya ha memorizado varios versículos bíblicos que puede usar en diversas situaciones. He encontrado que la memorización de la Escritura es muy útil en momentos de tentación, de prueba y testimonio. Frecuentemente cuando soy tentado, recuerdo 1 Corintios 10:13, uno de los versículos que memoricé primero. El Espíritu Santo se ha valido de este versículo para asegurarme que no permitirá que sea tentado más allá de lo que yo pueda soportar, y siempre me ofrecerá una escapatoria. Muchas veces me he enfrentado a pruebas que no pude entender. En cada oportunidad el Espíritu Santo me recordó Santiago 1:2-4: "Hermanos míos, tened por sumo gozo cuando os halléis en diversas pruebas, sabiendo que la prueba de vuestra fe produce paciencia. Mas tenga la paciencia su obra completa, para que seáis perfectos y cabales, sin que os falte alguna cosa".

**Hasta ahora, la quinta semana de estudio, ha memorizado cinco versículos, y está comenzando con el sexto. Describa situaciones en las que los versículos memorizados lo ayudaron. Prepárese a compartir lo que ha escrito con las personas de su grupo de estudio.**
Lucas 9:23 _____
Juan 15:5 _____
Juan 8:31-32 _____
Juan 15:7 _____
Juan 13:34-35 _____

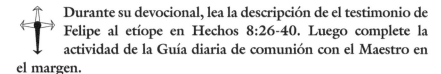 **Durante su devocional, lea la descripción de el testimonio de Felipe al etíope en Hechos 8:26-40. Luego complete la actividad de la Guía diaria de comunión con el Maestro en el margen.**

---

**GUÍA DIARIA DE COMUNIÓN CON EL MAESTRO**

**HECHOS 8:26-40**

Qué me dijo Dios:

_____
_____
_____
_____
_____
_____
_____

Qué le dije yo a Dios:

_____
_____
_____
_____
_____
_____
_____

## DÍA 3

## *Órdenes para cada discípulo*

Testificar es parte de las órdenes que todo discípulo debe cumplir.

Tal vez piense que testificar es algo que Jesús espera sólo de los predicadores, evangelistas y misioneros. O que Jesús no espera que los creyentes laicos den fruto espiritual. Sin embargo, Juan 15, el pasaje que ha estado leyendo, deja bien en claro que dar testimonio es parte de las órdenes que todo discípulo debe cumplir.

**Lea Juan 15:16 en el margen y responda la pregunta.**
**¿Qué dijo Jesús acerca de su propósito al elegir los discípulos?**

_____

*"No me elegisteis vosotros a mí, sino que yo os elegí a vosotros, y os he puesto para que vayáis y llevéis fruto, y vuestro fruto permanezca; para que todo lo que pidiereis al Padre en mi nombre, él os lo dé"* (Juan 15:16).

**¿Qué les prometió Jesús a los discípulos con respecto a lo que ellos podrían hacer?**

_____

Dar fruto espiritual no fue una opción para los discípulos. Se esperaba que fuera parte de su relación de obediencia a Cristo para toda la vida. Jesús dijo a los discípulos que la razón de elegirlos fue que dieran fruto espiritual. Junto con estas expectativas de Jesús, el Señor les dio una promesa: Si oraban en el nombre de Jesús, sus oraciones serían contestadas. Los discípulos obedientes buscan vivir de acuerdo a la voluntad de Dios y oran de acuerdo a la misma.

### TESTIFICAR NO ES UNA OPCIÓN

En Juan 15:27, Jesús dijo una vez más a los discípulos que testificar no era algo opcional; es una disciplina que Él espera de ellos. El versículo dice: "Y vosotros daréis testimonio también, porque habéis estado conmigo desde el principio".

**¿Por qué dijo Jesús a los discípulos que debían testificar?**

_____

Jesús ordenó a los discípulos que dieran testimonio acerca de Él, porque ellos habían estado con el Señor desde el principio, y conocían la verdad de parte del Señor mismo.

Lea nuevamente Juan 15 en su devocional. Deje que Dios le hable sobre la importancia de dar fruto espiritual y de dar testimonio acerca de Cristo. Después de haber leído este pasaje, complete la Guía diaria de comunión con el Maestro de la página 100.

Aunque no haya vivido en los tiempos de Jesús, como los discípulos, usted conoce la verdad de parte del Señor mismo, y ha experimentado una creciente relación con Él. Puede hablarle a los demás de lo que Cristo ha hecho en su vida, tal como lo hicieron los discípulos. Puede contarle a los demás de Jesús, basándose en su propia experiencia.

Mientras estudia cómo dar testimonio a los demás, tal vez se encuentre pensando así: *¡Quiero hacerlo! Sé que Cristo quiere que sea su testigo. Pero, ¿cómo sabré qué palabras decir? ¿Cómo sabré que no me paralizaré o me pondré en aprietos?*

**Lea Juan 15:4 y complete la oración.**

**No seré capaz de dar fruto espiritual a menos que** _____.

Ninguna rama (pámpano) puede dar fruto por sí misma. La rama es parte de la vid, no está adherida a ella.

## LA PROMESA DE CRISTO

Cuando usted recibió a Jesús como su Salvador personal, se convirtió en parte de la Vid. No se puede dar fruto espiritual si no se permanece en la Vid, es decir, permanecer en comunión con Cristo. Si tiene comunión con Cristo, tendrá la fortaleza para testificar. En mis primeros intentos por dar testimonio aprendí que no podía tener éxito porque deseaba alcanzar el éxito por mí mismo. Sólo cuando le permitía al Espíritu Santo que tomara control de mis pensamientos, de mis palabras y de mis acciones podía testificar efectivamente.

 **Compruebe si puede recordar Juan 15:5, uno de los versículos bíblicos anteriores. ¿Qué promete el versículo sobre los que permanecen en Cristo?**

_____

Este versículo no dice que quizás usted dé fruto espiritual, o que sólo los discípulos extraordinarios darán fruto espiritual. Dice que si permanecemos en Cristo, daremos fruto espiritual. Esta es una preciosa promesa de la Palabra de Dios para usted respecto a lo que sucede cuando una persona permanece en Cristo y testifica a otros. Él lo capacitará para dar fruto espiritual si usted permanece en Él y busca su voluntad.

**¿Cómo se puede permanecer en Cristo para dar fruto espiritual?**
❑ **Viva en la Palabra, estúdiela y memorícela.**
❑ **Ore para que el Padre guíe su testimonio de acuerdo a su voluntad.**
❑ **Tenga comunión con los demás creyentes para escuchar las enseñanzas de la Palabra de Dios y recibir el aliento de aquellos que forman el cuerpo de Cristo.**
❑ **Tenga su devocional diario para escuchar lo que Dios le dice.**

*"Permaneced en mí, y yo en vosotros. Como el pámpano no puede llevar fruto por sí mismo, si no permanece en la vid, así tampoco vosotros, si no permanecéis en mí"* (Juan 15:4).

**Si tiene comunión con Cristo, tendrá la fortaleza para testificar.**

## GUÍA DIARIA DE COMUNIÓN CON EL MAESTRO

### JUAN 15

**Qué me dijo Dios:**

_____

_____

_____

_____

_____

_____

_____

**Qué le dije yo a Dios:**

_____

_____

_____

_____

_____

_____

_____

_____

¿En cuál de estas disciplinas necesita usted ejercitarse más? Márquelas al lado. Luego, pídale a Dios que lo ayude a ser más activo en eso.

Mientras repasa estas sugerencias, ¿cómo se evaluó a sí mismo en cuanto al hábito de tener su devocional diario? He descubierto que no hay nada que reemplace mi devocional, este momento tan especial con Dios cada día. Tal como el maná, no dura hasta mañana. Si diariamente escribo en mi Guía diaria de comunión con el Maestro, Dios me dirá más y más. Luego, cuando llegue la hora de dificultad, puedo volver y leer lo que Dios me dijo en los días, semanas o meses anteriores. Muchas veces esta perspectiva me ha dado un nuevo enfoque de mi relación con Dios y ha restaurado mi espíritu.

**Complete la siguiente idea: La mejor hora para tener mi devocional es _____.**

**Si hallar un momento para tener su devocional diario es aún un problema para usted, repase lo que aprendió en la semana 4: Cómo establecer las prioridades usando "Cómo redimir el tiempo". Esto lo ayudará a planear sus días y semanas.**

**Deténgase y ore, pidiéndole a Dios que lo ayude con sus prioridades y el uso de su tiempo para que pueda encontrar un momento diario para permanecer unido a la Vid.**

También puede permanecer en Cristo teniendo comunión con los demás creyentes y expresando su amor y cuidado por los demás. Por ejemplo, el tiempo que usted pasa con su compañero de oración, puede ser un momento de comunión.

**Hable de sus problemas con su compañero de oración. Ore por sus necesidades y las de su compañero. Antes de terminar la conversación, dígale a su compañero el versículo para memorizar de esta semana, Juan 15:8.**

**A medida que desarrolle el estudio de la semana 4, su comunión con los demás lo llevará de forma natural a testificarles de Cristo. El Señor se valdrá de usted para enseñarles a otros sobre Él. Tendrá comunión con los demás cuando demuestre su amor por otros creyentes, igual que lo hizo con su compañero de oración. También necesita relacionarse con personas que no conocen a Cristo, tratando de acercarlas al conocimiento de la salvación en Cristo. Continúe cultivando su amistad con su nuevo amigo inconverso.**

ESTUDIEMOS LA CRUZ DEL DISCÍPULO

✝ Para repasar lo que ya está aprendiendo, dibuje las partes de La cruz del discípulo, que ya ha estudiado. Dibuje el listón horizontal de la izquierda y escriba la palabra *testimonio* en ella. Escriba *Juan 15:8*, que es el versículo bíblico correspondiente a esta sección, debajo de *testimonio*.

# DÍA 4

## *Obligado a contarlo*

Tenía seis años cuando hice mi decisión de fe por Cristo mientras mi padre asistía al Seminario Teológico Bautista del Sudoeste en Forth Worth, Texas. Mientras él predicaba en un culto de avivamiento espiritual en la misión local, me di cuenta de que era pecador, y de que si hubiera una trampa debajo de mí, me iría derecho al infierno. Al entender que necesitaba arrepentirme de mis pecados, casi corrí por el pasillo entre los bancos. Sentí como me aliviaba de una gran carga. Con el entusiasmo de una persona recién convertida fui a contarle a mi vecino, el peluquero, y al presidente del seminario que yo había puesto mi confianza en Jesús. No podía dejar de contar lo que había experimentado.

**No podía dejar de contar lo que había visto y oído.**

### ¿QUÉ HA HECHO CRISTO POR USTED?

La Biblia dice: "Porque no podemos dejar de decir lo que hemos visto y oído" (Hechos 4:20). ¿Alguna vez Cristo ha sido tan real en su vida que usted no pudo evitar dar testimonio de lo que había visto y oído?

Tal vez le contestó una oración de forma tan directa, específica o útil que lo hizo decir: "¡Solo el Señor podía hacerlo así!" Quizás experimentó su sanidad física o emocional. Tal vez lo ha animado o aconsejado proveyéndole un amigo en el momento en que lo necesitaba. Usted no vivió en los tiempos de Jesús para ver sus milagros, pero tal vez haya experimentado un milagro en los días actuales. De ser así, ¿puede usted dejar de contarles a las personas cuán maravilloso es Cristo?

**¿Cuán preparado está para testificar de lo que Cristo ha hecho en su vida?** Evalúese usted mismo haciendo un círculo en el número apropiado: 1 = algunas veces, 2 = frecuentemente, 3 = generalmente, 4 = siempre. Luego, ore acerca las áreas en las que necesite mejorar.

1. **Establezco amistades con personas inconversas para buscar la oportunidad de testificarles.**     1     2     3     4

2. **Oro o me ofrezco a orar por las necesidades de las personas, y les recuerdo que Dios cuida de ellas.**     1     2     3     4

3. **Visito a las personas que visitaron mi iglesia, o me comunico con ellas, para expresarles mi preocupación.**     1     2     3     4

4. **Hablo de Cristo a los inconversos aún cuando esto signifique que me rechacen.**     1     2     3     4

5. **No dudo en contarles a otros cuando Dios responde mis oraciones.**     1     2     3     4

**Aprender a testificar de su fe libremente puede ser un proceso edificante.**

No se sienta avergonzado o raro si su respuesta fue 1 a varias o la mayoría de las declaraciones del ejercicio anterior. Aprender a testificar de su fe libremente puede ser un proceso edificante.

## ASEGÚRESE DE SU RELACIÓN

Mientras piensa acerca de testificarle al mundo, asegúrese primero de su propia salvación para poder dar fruto espiritual. Asegúrese también de permanecer en la Vid, para que el amor de Cristo fluya a través suyo y su relación de obediencia a Cristo sea para toda la vida. La siguiente presentación del evangelio se llama el Camino de Romanos.[1] Leerá 8 pasajes del libro de Romanos que explican claramente el mensaje de salvación. Estudie esta presentación para determinar cómo es su relación con Cristo. Tal vez desee memorizar los versículos, o marcarlos en su Biblia en la secuencia que se usan para poder recordarlos fácilmente cuando presenta el evangelio a otros. *Vida discipular 4: La misión del discípulo* le enseñará otra presentación del evangelio que también se puede usar para testificar.

## EL PODER DE DIOS

Lea Romanos 1:16 en el margen. El poder de Dios nos da seguridad. Mucha gente vive hoy sin esperanza. No tienen maneras para fortalecerse ni ser guiados a través de las luchas de la vida. De acuerdo a Romanos 1:16, la idea central de la fe cristiana es el evangelio, es decir, las buenas noticias que revelan el poder de Dios puesto a nuestro alcance para ayudarnos a enfrentar cualquier problema. Por medio de Jesucristo, hay un poder tan grande como para traer salvación y liberación, que está al alcance de cualquier persona que cree.

*"Porque no me avergüenzo del evangelio, porque es poder de Dios para salvación de todo aquel que cree; al judío primeramente, y también al griego" (Romanos 1:16).*

El _____ de Dios nos da seguridad.

## MEDIANTE EL PODER DE DIOS, LA GENTE PUEDE CAMBIAR

Lea Romanos 2:4 en el margen. El poder de Dios tiene como resultado el cambio. Por medio del poder de Dios, la gente puede cambiar. La palabra bíblica para *cambio* es *arrepentimiento*. Esto significa permitirle a Dios que cambie la dirección en tu vida.

*"Su benignidad te guía al arrepentimiento" (Romanos 2:4).*

**El poder de Dios resulta en** _____.

## EL PECADO HACE QUE EL CAMBIO SEA NECESARIO

Lea Romanos 3:23 en el margen. El pecado hace que el cambio sea necesario. ¿Por qué la gente necesita cambiar? ¿De qué ofrece librarnos Cristo? De acuerdo a la Biblia, cada hombre y cada mujer tiene un problema. El problema se puede describir de diferentes maneras, pero la palabra más común usada en la Biblia es *pecado*. Un significado de *pecado* es no *llegar a la meta establecida por Dios*. La Biblia nos enseña que la pauta de Dios para nosotros es Jesucristo. Si Jesús se encontrara parado frente a usted, ¿podría decirle que es tan bueno como Él? El pecado es no ser lo que Dios espera de nosotros, lo cual implica que todas las personas tienen el problema del pecado. Usted puede hacer muchas cosas buenas, y puede no querer hacer nada malo, pero ninguno de nosotros puede llegar a cumplir con las pautas de Dios, donde siempre debe hacerse el bien.

*"Por cuanto todos pecaron y están destituidos de la gloria de Dios" (Romanos 3:23).*

_____ **hace necesario el cambio.**

**¿Qué le respondería a alguien que dice no hacer nada malo?**

_____

Puede que haya escrito algo así: La Biblia dice que todos hemos pecado. Nadie ha podido cumplir con las pautas de Dios.

## DIOS AÚN NOS AMA

Lea Romanos 5:8 en el margen. Dios aún lo ama. Algunas personas creen que al no poder cumplir con las normas de Dios, el Señor se

*"Mas Dios muestra su amor para con nosotros en que siendo aún pecadores Cristo murió por nosotros" (Romanos 5:8).*

convierte en su enemigo. Debido a que no viven según lo que Dios espera de ellos, Dios está en su contra. Sin embargo, el mensaje de Cristo es que, a pesar de nuestro pecado, Dios aún nos ama. ¡Estas son las buenas nuevas!

El amor de Dios por usted no se basa en la ignorancia o la falta de conciencia de pecado. Su amor tampoco se basa en la tolerancia al pecado. Aún conociendo el pecado que está en usted, Dios eligió amarlo, aunque eso le costara la muerte de su Hijo en favor suyo. Para hacer lo que era necesario para superar su problema con el pecado, Dios demostró cuán profundo y verdadero es su amor por usted (véase también Juan 3:16).

**Dios aún nos** _____.

## LA PAGA DEL PECADO ES MUERTE

Lea Romanos 6:23 en el margen. El pecado sólo lleva a la muerte, pero Dios nos ofrece vida. El pecado no sería un problema si no tuviese tan serias consecuencias. De acuerdo a la Biblia, las consecuencias del pecado son demasiado serias para ignorarlas. Aunque Dios no sea su enemigo, Él es su juez. Como tal, no puede ignorar que usted ha fallado en cumplir con sus pautas de perfección. En Romanos 6:23 aprendemos que "la paga del pecado es muerte". Cuando usted peca, recibe como pago la muerte. Ya que cada persona es culpable de pecado, todos estamos sujetos a las consecuencias de la muerte y la separación eterna de Dios (véase Juan 3:36; Apocalipsis 20:11-15).

## EL REGALO DE DIOS ES LA VIDA ETERNA

Existe una alternativa. Por medio de las obras usted está condenado a muerte, pero "la dádiva de Dios es vida eterna en Cristo Jesús Señor nuestro" (Romanos 6:23). Jesús murió en la cruz en su lugar (véase 1 Pedro 3:18). Él cargó las culpas de su pecado para que Su muerte aplacara el juicio de Dios contra ese pecado (véase 2 Corintios 5:21; Colosenses 2:13-14). Su pecado es juzgado en la muerte de Jesús en la cruz, como nuestro sustituto. Por sus obras usted sólo puede ganar la muerte, pero por la gracia de Dios puede recibir la vida eterna. Dios ofrece vida eterna y el perdón de sus pecados por medio de Jesucristo como su regalo.

**El pecado lleva a** _____, **pero Dios ofrece** _____.

## RECIBA A CRISTO COMO SU SALVADOR Y SEÑOR

**Subraye las palabras en Romanos 10:9-10,13 (en el margen) que indican qué es necesario hacer para recibir a Cristo como Señor y Salvador.**

Lea Romanos 10:9-10,13. Las palabras *confesar*, *creer* e *invocar*, resumen lo que alguien debe hacer para recibir el regalo gratuito de Dios y ser salvo.

*"Porque la paga del pecado es muerte, más la dádiva de Dios es vida eterna en Cristo Jesús Señor nuestro" (Romanos 6:23).*

*"Que si confesares con tu boca que Jesús es el Señor, y creyeres en tu corazón que Dios le levantó de los muertos, serás salvo. Porque con el corazón se cree para justicia, pero con la boca se confiesa para salvación. Porque todo aquel que invocare el nombre del Señor, será salvo" (Romanos 10:9-10, 13).*

La palabra traducida *confesar* en la Biblia significa *decir la misma cosa*. *Señor* puede entenderse como *regulador, líder o autoridad soberana*. Cuando confesamos a Dios como Señor, estamos diciendo acerca de Dios lo que Él dice de sí mismo (véase Isaías 45:5-7,22-24; Filipenses 2:10-11). Reconocemos su autoridad sobre nosotros. Al reconocer a Jesús como Señor, admitimos nuestro pecado y la incapacidad de cumplir con las normas de Dios con una obediencia perfecta y justa.

**Confesar a Jesús como Señor significa que reconocemos su _____ sobre nosotros.**

Confesar a Jesús como Señor también significa arrepentirnos de nuestros pecados. Al aceptar su autoridad sobre nosotros, dejamos de vivir la vida según nuestros términos para obedecerlo y servirlo. Este cambio que damos al dejar de pecar para seguir a Jesús se llama arrepentimiento. Más que una lamentación, es cambiar la dirección de nuestra vida para orientarnos hacia el Dios viviente en lugar de hacia nosotros mismos (véase Lucas 3:7-14).

**Arrepentimiento significa _____ de nuestra vida para orientarnos hacia _____.**

*Creer* significa *confiar*. Dice la Escritura que si "creyeres en tu corazón que Dios le levantó de los muertos, serás salvo" (Romanos 10:9). Usted confía en que la muerte y la resurrección de Jesús son suficientes para asegurarle su salvación. Confía en la obra de Jesús más que en su propia obra para alcanzar la salvación. Cuando mira un puente, sabe que lo sostendrá al pasar por él. Sin embargo, el puente nunca lo sostuvo hasta que usted lo cruzó. De igual manera, usted puede saber mucho acerca de Jesús, pero no cree en Él hasta que no le confía su vida dejándosela en sus manos. Creer en Jesús es poner su vida, tanto física como espiritual en las manos de Él.

**Creer en Jesús significa _____ mi vida en sus manos.**

Cuando usted reconoce que Jesús es el Señor o el líder de su vida, y está dispuesto a creer en Él, confiando únicamente en su obra de salvación, solo necesita invocar su nombre para ser salvo. En Romanos 10:13 Pablo escribió: "Porque todo aquel que invocare el nombre del Señor, será salvo". Fíjese cuán amplia es esta invitación. *Cualquiera* que esté dispuesto a invocar el nombre del Señor será salvo. Ninguna otra cosa es necesaria cuando usted está dispuesto a invocar el nombre de Jesús para ser salvo.

*Invocar* el nombre de Jesús es pedirle perdón por los pecados y la salvación. Cuando le pide a Él la salvación, usted lo está reconociendo como Señor y expresando su intención de vivir una vida de obediencia y servicio. Las personas que invocan su nombre serán salvas.

**Creer en Jesús es poner su vida, tanto física como espiritual, en las manos de Él.**

***Cualquiera* que esté dispuesto a invocar el nombre del Señor será salvo.**

*"El Espíritu mismo da testimonio a nuestro espíritu, de que somos hijos de Dios. Y si hijos, también herederos de Dios y coherederos con Cristo, si es que padecemos juntamente con él, para que juntamente con él seamos glorificados. Por lo cual estoy seguro de que ni la muerte, ni la vida, ni ángeles, ni principados, ni potestades, ni lo presente, ni lo por venir, ni lo alto, ni lo profundo, ni ninguna otra cosa creada nos podrá separar del amor de Dios, que es en Cristo Jesús Señor nuestro"* (Romanos 8:16-17, 38-39).

*"Así que, hermanos os ruego por las misericordias de Dios, que presentéis vuestros cuerpos en sacrificio vivo, santo, agradable a Dios, que es vuestro culto racional. No os conforméis a este siglo, sino transformaos por medio de la renovación de vuestro entendimiento, para que comprobéis cuál sea la buena voluntad de Dios, agradable y perfecta"* (Romanos 12:1-2).

Invocar el nombre de Jesús significa pedirle _____ por los pecados y la _____.

**Las tres palabras que resumen lo que alguien debe hacer para ser salvo son:** _____, _____, _____.

En la medida que estudie *Vida discipular: La cruz del discípulo,* surgirán algunas preguntas acerca de su relación con Cristo y su consagración a Él. Al leer acerca de consagrarse totalmente a Cristo, quizá no pueda afirmar con certeza que usted haya dado ese paso inicial de seguirlo que ocurre cuando usted recibe a Cristo como Salvador. *Vida discipular* se hizo para personas que ya han recibido a Jesús como su Señor y Salvador y desean aprender lo que significa ser un auténtico seguidor de Él. Si usted considera que no puede decir con un cien por ciento de seguridad que ya tomó esa decisión anteriormente, entonces puede recibir a Jesucristo ahora, invitándolo a entrar en su vida. Si lo desea, puede usar el siguiente modelo de oración para expresar su decisión:

*Señor Jesús, te necesito. Quiero que seas mi Señor y Salvador. Acepto tu muerte en la cruz por mis pecados, y encomiendo ahora mi vida para que tú te hagas cargo. Gracias por perdonarme y por darme una nueva vida. Te ruego que me ayudes a crecer como cristiano, para que mi vida te glorifique y honre. Amén.*

_____     _____
Firma                                                               Fecha

Recibir a Cristo no garantiza que no tendrá dificultades con cuestiones como la negación del propio yo, el cargar su cruz o seguir a Jesús. No significa que no será tentado para que le rinda su devoción a algo o alguien más. Tampoco significa que huirá de lo que requiera el discipulado. Significa que Él lo ha perdonado; que Él tiene una relación duradera que continuará hasta la eternidad; y que Él le dará la fortaleza, el poder, y la sabiduría mientras usted procure ser su discípulo. Le sugiero que hable con su líder de *Vida discipular,* su pastor o un miembro del personal de la iglesia, o algún amigo creyente en el que confíe para hacerle saber cualquier nuevo compromiso que haya tomado.

## UN HIJO DE DIOS
Lea Romanos 8:16-17, 38-39 (en el margen). Sabemos que tenemos esperanza. Cuando experimentamos la salvación en Cristo, Dios nos adopta como sus hijos, y su Espíritu Santo nos asegura que somos parte de su familia. De acuerdo al derecho romano en los tiempos en que Pablo escribe, cuando alguien adoptaba a un hijo se convertía en su heredero. Mientras que Cristo es el heredero de Dios por naturaleza, los creyentes en Cristo se han convertido en herederos de Dios por

adopción. Por lo tanto, somos coherederos juntamente con Cristo.

Los versículos 38-39 nos dicen que tenemos seguridad eterna en Dios. Porque Cristo ha vencido los principados y poderes terrenales, no debemos temer de los enemigos humanos ni sobrehumanos. Nada puede separarnos del amor de Dios que es en Cristo Jesús.

Los creyentes pueden tener esperanza porque son hijos de Dios y están seguros en su amor.

**Ahora tenemos** _____

## LA VIDA PARA DIOS

Lea Romanos 12:1-2 en el margen de la página anterior. Fe = la vida para Dios. Cuando experimenta la salvación, se convierte en un creyente y comienza a vivir una vida para Dios. Puede esperar que su vida sea diferente. Dios quiere que su vida cambie a medida que sigue a Jesús, aún si implica sacrificios. La meta de los creyentes es mirar y vivir pareciéndonos cada vez menos a los inconversos y más a Jesús. Este cambio ocurre porque Dios lo produce. Él transformará su vida, haciéndola más parecida a la vida de Jesús (véase Filipenses 1:6; 2:13). Jesús hará que usted parezca y viva como uno de sus hijos al seguirle.

**Fe = la vida para** _____

## USTED ES SU TESTIGO

Sea que recién ha recibido a Cristo, o que ha sido su discípulo por muchos años, usted es testigo de Él. Tal vez desee aprender la siguiente presentación para explicarle a una persona inconversa cómo recibir la vida eterna. Quizás sea conveniente que primero quiera acompañar a su líder de *Vida discipular* cuando él o ella use esta presentación para testificarle a una persona inconversa.

No tenga temor de hablar de su experiencia de salvación con otros que no son creyentes en Cristo. En *Vida discipular 2: La personalidad del discípulo* aprenderá cómo hablar de su experiencia personal de salvación con otros. En *Vida discipular 3: La victoria del discípulo* aprenderá cómo usar un folleto para explicarle a alguien cómo convertirse a Cristo. En *Vida discipular 4: La misión del discípulo* aprenderá cómo usar otra presentación que lo ayudará a guiar a las personas inconversas a recibir a Cristo como Señor y Salvador.

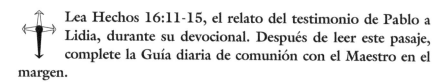 **Lea Hechos 16:11-15, el relato del testimonio de Pablo a Lidia, durante su devocional. Después de leer este pasaje, complete la Guía diaria de comunión con el Maestro en el margen.**

**Ore por cada uno de los miembros de su grupo de *Vida discipular* mencionando sus nombres. Pídale a Dios que cada persona reciba una bendición del curso *Vida discipular* y especialmente de la presentación del evangelio que han estudiado. Pídale que lo ayude a mantenerse a disposición de los miembros del grupo como un amigo.**

## GUÍA DIARIA DE COMUNIÓN CON EL MAESTRO

### HECHOS 16:11-15

Qué me dijo Dios:

_____

_____

_____

_____

_____

_____

Qué le dije yo a Dios:

_____

_____

_____

_____

_____

_____

*"Acordaos de la palabra que yo os he dicho: El siervo no es mayor que su señor. Si a mí me han perseguido, también a vosotros os perseguirán; si han guardado mi palabra, también guardarán la vuestra. Mas todo esto os harán por causa de mi nombre, porque no conocen al que me ha enviado"* (Juan 15:20-21).

*"Mientras Él aún hablaba, se presentó una turba; y el que se llamaba Judas, uno de los doce, iba al frente de ellos; y se acercó hasta Jesús para besarle. Entonces Jesús le dijo: Judas, ¿con un beso entregas al Hijo del Hombre?"* (Lucas 22:47-48).

*"Salió Jesús de allí y vino a su tierra, y le seguían sus discípulos. Y llegando el día de reposo, comenzó a enseñar en la sinagoga; y muchos, oyéndole, se admiraban y decían: ¿De dónde tiene éste estas cosas? ¿Y qué sabiduría es esta que les es dada, y estos milagros que por sus manos son hechos? ¿No es éste el carpintero, hijo de María, hermano de Jacobo, de José, de Judas y de Simón? ¿No están también aquí con nosotros sus hermanas? Y se escandalizaban de él"* (Marcos 6:1-3).

*"Y comenzó a enseñarles que le era necesario al Hijo del Hombre padecer mucho, y ser desechado por los ancianos, por los principales sacerdotes y por los escribas, y ser muerto, y resucitar después de tres días"* (Marcos 8:31).

Continúe con la memorización de Juan 15:8. Los versículos de las Escrituras para memorizar en esta semana van en el dibujo a la izquierda de La cruz del discípulo. En una hoja de papel escriba el versículo de una a tres veces.

## DÍA 5

# *El precio de dar fruto*

El director de una escuela secundaria (media), llamado John Eluru, estaba ensayando el papel de Jesús para la película *Jesús* en su versión para Uganda. Esta película ha llevado incontable número de personas a Cristo en todo el mundo. Mientras que los ayudantes transportaban a John y al personal desde la villa en Uganda hasta el lugar donde tendría lugar la producción del sonido, los guerrilleros irrumpieron en el camino a tiros de pistola, y balearon el vehículo y a John en el corazón.

Esa noche, aunque John se estaba muriendo, exhortó al técnico de la película para que no se detuviera el doblaje. John dijo: "No detengas el doblaje de la película. Uganda lo necesita. Yo he hecho mi parte, pero no detengas el trabajo, nunca tengas temor". John murió a la mañana siguiente. Pero actualmente en Uganda, cada vez que se muestra la película ya completa, la voz de John haciendo la de Jesús, le dice a cientos de personas cómo conocer a Cristo.[2]

Ser discípulo de Jesús no lo exime de sacrificios. Testificarle al mundo, mientras se produce el fruto espiritual para Cristo, tiene un precio. Tal como lo revela Juan 15:20-21, en el margen, cuando usted llegue a tener una relación de obediencia a Cristo para toda la vida, será perseguido de la misma manera que Él lo fue. Todo lo que sufra por Cristo, Él ya lo ha sufrido. Él experimentó el rechazo y el sufrimiento, y usted también lo experimentará.

**En Juan 15:20:21, ¿qué significan para usted las palabras de Jesús "El siervo no es mayor que su Señor"?**

_____

SU COMPAÑÍA EN EL SUFRIMIENTO

Usted está expuesto al mismo tipo de sufrimientos que Jesús experimentó. El mismo tipo de personas que rechazaron al Maestro, duras de corazón y con una mente inflexible, lo rechazarán a usted. Por otra parte, el mismo tipo de personas que fueron receptivas a sus enseñanzas mientras estaba en la tierra, recibirán sus palabras y hechos hoy.

**¿Cuál fue el sufrimiento de Jesús por usted? Lea los tres versículos del margen. Luego, asocie las citas de una columna con las ideas de la otra.**

___1. Lucas 22:47-48  a. Personas con autoridad rechazaron a Jesús.

___2. Marcos 6:1-3   b. Un amigo lo engañó.

___3. Marcos 8:31   c. La gente de su pueblo se levantó en su contra.

Vuelva a leer esto y haga una marca al lado de cualquier tipo de persecución que usted haya experimentado.

¿Ha tenido alguna experiencia en la cual se sintió perseguido debido a su testimonio cristiano? ❑ Sí ❑ No. Descríbalo debajo.

_____

_____

¿Cómo se siente al reconocer que Cristo ha soportado todo tipo de sufrimiento?

_____

El sufrimiento de Jesús por usted fue tan grande que incluye todas las pruebas. Sería imposible describir en este libro los sufrimientos por los que pasó Jesús. Las Escrituras del margen en la página 108 solo presentan unos pocos ejemplos. Asimismo, debido a su postura de honrar a Cristo, algunas veces sufrirá el rechazo de sus amigos, familiares, vecinos, comunidad y personas que usted respeta. Espero que al meditar en el hecho de que Cristo es su compañero en el sufrimiento, pueda describirse a usted mismo como alguien fortalecido y estimulado por el amor de Jesús. Las respuestas al ejercicio anterior son: 1. b, 2. c, 3. a.

**Debido a su postura de honrar a Cristo, algunas veces sufrirá el rechazo.**

## ESTUDIEMOS LA CRUZ DEL DISCÍPULO

Luego de haber estudiado durante cinco semanas *La cruz del discípulo*, ya sabe que la parte izquierda del listón horizontal representa el fruto espiritual producido por medio del testimonio. Además, La cruz del discípulo en sí misma acarrea fruto. Si usted aprende y practica las seis disciplinas de la cruz, vivirá una vida obediente, y dará fruto.

 **Dibuje nuevamente La cruz del discípulo, escriba *testimonio* a la izquierda. También incluya *Juan 15:8*, el versículo de la Escritura que acompaña el listón horizontal izquierdo.**

**GUÍA DIARIA DE COMUNIÓN CON EL MAESTRO**

MATEO 4:1-11

**Qué me dijo Dios:**

_____

_____

_____

_____

_____

_____

_____

_____

**Qué le dije yo a Dios:**

_____

_____

_____

_____

_____

_____

_____

_____

_____

 **Para reforzar lo aprendido sobre dar fruto espiritual como una característica del discípulo, diga en voz alta Juan 15:8, el versículo para memorizar de esta semana. Dígaselo a algún familiar o alguien a quien vea regularmente durante el día.**

MEMORIZACIÓN BÍBLICA: LA CLAVE PARA DAR FRUTO ESPIRITUAL

En la tarea de cada día se le pidió que memorizara versículos bíblicos. Espero que no vea esto como un mero trabajo para mantenerlo ocupado o algo que debe hacer para cumplir con los requisitos de este curso. La memorización de la Escritura lo capacita para tener victoria sobre Satanás y el pecado, y ganar a otros para Cristo, meditar en la Palabra y dirigir su vida diariamente. Lo más importante de todo, es que memorice la Escritura porque Dios así lo ordena.

 **Trate de memorizar con sus propias palabras las seis razones que se mencionan en la gráfica siguiente.**

---

**RAZONES POR LAS QUE MEMORIZAMOS LA ESCRITURA**

**1. Para tener victoria sobre Satanás.**

 **Durante su devocional lea Mateo 4:1-11, el pasaje de la tentación de Cristo en el desierto. Cuando termine complete la Guía diaria de comunión con el Maestro en el margen.**

a. Jesús nos da el ejemplo. Lea Mateo 4:7, 10.
b. Satanás algunas veces malinterpreta las Escrituras. Compare Mateo 4:6 con Salmos 91:11-12.

> *Pues a sus ángeles mandará acerca de ti,*
> > *Que te guarden en todos tus caminos.*
> *En las manos te llevarán,*
> > *Para que tu pie no tropiece en piedra.*

c. La Palabra es la espada del Espíritu:

> *¿Con qué limpiará el joven su camino?*
> > *Con guardar tu palabra.*
> *En mi corazón he guardado tus dichos,*
> > *Para no pecar contra ti (Salmos 119:9, 11).*

**2. Para tener victoria sobre el pecado.** Véase Salmos 119:9-11.

**3. Para ganar a otros para Cristo.**
 a. Siempre deberá estar listo para responder acerca de su fe:

"Estad siempre preparados para enfrentar defensa con mansedumbre y reverencia ante todo el que os demande razón de la esperanza que hay en vosotros" (1 Pedro 3:15).

b. El Espíritu Santo le recordará la Escritura en el momento en que la necesite: "Pero cuando venga el Espíritu de verdad, él os guiará a toda la verdad; porque no hablará por su propia cuenta, sino que hablará todo lo que oyere, y os hará saber las cosas que habrán de venir" (Juan 16:13).

c. Comprender la Palabra enaltecerá su testimonio: "Cuando hubieron orado, el lugar en que estaban congregados tembló; y todos fueron llenos del Espíritu Santo, y hablaban con denuedo la palabra de Dios" (Hechos 4:31).

**Comprender la Palabra enaltecerá su testimonio.**

## 4. Para meditar en la Palabra

*Sino que en la ley de Jehová está su delicia,*
*Y en su ley medita de día y de noche.*
*Será como árbol plantado junto a corrientes de aguas,*
*Que da su fruto en su tiempo,*
*Y su hoja no cae;*
*Y todo lo que hace, prosperará*
*(Salmos 1:2-3).*

## 5. Para dirigir su vida diariamente

*Lámpara es a mis pies tu palabra,*
*Y lumbrera a mi camino (Salmos 119:105).*

6. **Porque Dios así lo ordena.** "Y estas palabras que yo te mando hoy, estarán sobre tu corazón" (Deuteronomio 6:6). "La palabra de Cristo more en abundancia en vosotros, enseñándoos y exhortándoos unos a otros en toda sabiduría, cantando con gracia en vuestros corazones al Señor con salmos e himnos y cánticos espirituales" (Colosenses 3:16).

**Usted memoriza la Escritura porque Dios así lo ordena.**

**Dé un ejemplo de cómo la memorización bíblica lo ha ayudado en alguna de las maneras descritas arriba.**

_____

_____

En la página siguiente lea las sugerencias para memorizar las Escrituras. Marque cualquier sugerencia que ya haya probado. Dibuje una estrella al lado de cualquiera que prometa experimentar.

## CÓMO MEMORIZAR LAS ESCRITURAS

1. Escoja un versículo que le hable a sus necesidades o, si ya ese versículo está señalado, descubra cómo satisface una necesidad particular de su vida.

2. Entienda el versículo. Lea el versículo en relación al contexto. Léalo en varias versiones.

3. Grabe los versículos para memorizar en un grabadora de casete para que los pueda oír. Deje un espacio después de cada versículo para practicar recitándolos de memoria. Luego vuelva a grabar el mismo versículo para poder escucharlo después de haberlo repetido.

4. Busque el versículo en su Biblia y subráyelo para localizarlo fácilmente.

5. Escriba el versículo en una tarjeta, incluyendo las referencias de la Biblia y el tópico a que se refiere. Esto le permitirá relacionar el versículo a un asunto en particular y así lo podrá encontrar cuando se presente la necesidad.

6. Coloque el versículo escrito en lugares visibles para que pueda repasarlo mientras hace otras tareas. Colóquelo próximo al fregadero de la cocina, sobre el refrigerador, en el espejo del baño y en el panel de instrumentos del automóvil para repasarlo mientras espera en los semáforos.

7. Memorice el versículo. Divídalo en frases naturales que tengan sentido y apréndalo palabra por palabra. Si lo aprende perfectamente desde el principio, se grabará en su memoria, y será fácil de revisar, le dará valentía cuando enfrente tentaciones y convencerá a la persona a quien está tratando de explicarle que él o ella pueden confiar en lo que usted le dice.

8. Repase, repase, repase. Este es el secreto más importante para memorizar las Escrituras. Repase un versículo nuevo por lo menos una vez al día durante seis semanas. Repase el versículo semanalmente durante las próximas seis semanas y luego mensualmente durante el resto de su vida.

9. Use las siguientes actividades para tener presente un versículo: Visualícelo, cántelo, cree su propia melodía, ore a Dios mencionándole este versículo, hágalo parte de su propia vida, úselo tantas veces como le sea posible.

10. Use la versión de La cruz del discípulo que está en el margen para dominarla. Vea que usted puede hacer que la Escritura sea parte de cada una de las facetas de su vida (véase Juan 8:31-32).

11. Haga que alguien le controle la memorización bíblica. O escriba el versículo de memoria y verifíquelo usted mismo usando la Biblia.

12. Haga que la memorización bíblica sea entretenida. Invente algún juego para recordar los versículos con su familia y amigos. Un juego que he usado en estos cursos es citar una referencia a un miembro del grupo *Vida discipular* antes que

**Repasar es el secreto más importante para memorizar las Escrituras.**

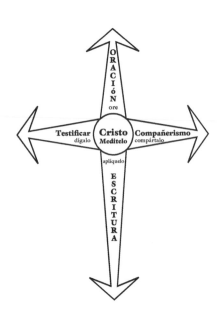

> alguien me lo cite a mí. Por ejemplo, si usted cita Juan 15:5, la otra persona debe recitar el versículo. Si la otra persona dice primero la cita, entonces usted debe recitar el versículo.
>
> 13. Establezca una meta con el número de versículos que memorizará cada semana. Mi meta será _____ por semana. No trate de aprender rápidamente muchos versículos al comienzo del curso, de modo que no le quede tiempo para repasarlos diariamente, lo cual es esencial para memorizar las Escrituras.

 **Debido a que el repaso lo ayuda en la memorización, vuelva atrás y trabaje en la hoja que contiene los versículos de esta semana. Elija una de las opciones, léala y practique para reforzar la memorización de Juan 15:8.**

¿QUÉ EXPERIENCIAS TUVO EN ESTA SEMANA?
**Repase la sección "Mi andar con el maestro en esta semana" al comienzo del material de esta semana. Marque las actividades que ha terminado dibujando una raya vertical dentro del rombo. Complete cualquier actividad que le falte realizar. Piense en lo que dirá sobre su trabajo con respecto a las actividades en la sesión de grupo.**

Piense en su estudio de esta semana: "Testificar al mundo".
- ¿Se ha resuelto a trabajar con personas que no conocen a Cristo?
- ¿Han sido diferentes las relaciones con sus amigos inconversos después de haber terminado el estudio de esta semana?
- ¿Ha identificado oportunidades para testificar que antes nunca hubiera imaginado que existían?
- ¿Se ha comprometido a dar fruto espiritual de una manera diferente?

Espero que el estudio de esta semana lo haya preparado para tomar nuevos compromisos en su continuo esfuerzo por permanecer en Cristo y desarrollar una relación de obediencia con Él para toda su vida. Hacer nuevos compromisos requiere honestidad, porque lo ayudará a reconocer que necesita mejorar su vida. Considérelo como oportunidades para crecer y no para juzgar sus viejas maneras de hacer las cosas.

**Hacer nuevos compromisos requiere honestidad, porque notará que necesita mejorar su vida.**

1. Adaptado de Chuck Kelley, *Learning to Share My Faith* [Aprendamos a compartir nuestra fe] (Nashville: LifeWay Press, 1994), 27-34.
2. Paul Eshleman, *The Touch of Jesus* [El toque de Jesús] (Orlando: NewLife, 1995), 157-58.

**SEMANA 6**

# *Ministrar a otros*

## La meta de esta semana

Ministrará a otros al tomar su cruz y seguir a Jesús.

## Mi andar con el Maestro en esta semana

Completará las siguientes actividades para desarrollar las seis disciplinas bíblicas. Cuando haya completado cada actividad trace una línea vertical en el diamante que está junto a la actividad.

### DEDICAR TIEMPO AL MAESTRO

◇ Tenga su devocional diariamente. Marque cada día que tuvo su devocional esta semana: * domingo * lunes * martes * miércoles * jueves * viernes * sábado

### VIVAR EN LA PALABRA

◇ Lea su Biblia diariamente. Escriba qué le dijo Dios y qué le dijo usted a Dios.

◇ Memorice Juan 15:13.

◇ Repase Lucas 9:23, Juan 15:5, Juan 8:31,32, Juan 15:7, Juan 13:34,35 y Juan 15:8.

### ORAR CON FE

◇ Ore por su pastor y por su iglesia.

◇ Ore por las almas perdidas que los miembros del grupo mencionaron en la sesión anterior.

◇ Pídale a Dios que lo guíe al planificar su tiempo con Él, usando el formulario correspondiente.

### TENER COMUNIÓN CON LOS CREYENTES

◇ Cuente a alguien lo que el Señor ha hecho por usted desde que comenzó a participar en *Vida discipular*.

### TESTIFICAR AL MUNDO

◇ Use *Cómo redimir el tiempo* para planificar sus días.

◇ Realice una acción bondadosa en favor de su nuevo amigo inconverso esta semana.

### MINISTRAR A OTROS

◇ Termine de aprender La cruz del discípulo. Dispóngase a enseñársela a un miembro de su grupo de *Vida discipular* antes de la reunión del grupo de discípulos en formación. Diga todos los versículos que van con La cruz del discípulo.

## Versículo para memorizar esta semana

*"Nadie tiene mayor amor que este, que uno ponga su vida por sus amigos" (Juan 15:13).*

# DÍA 1

## *Tome su cruz*

"¡Por favor ayuden a ese anciano o morirá!", rogaba el grupo de personas que entraban apresuradamente en la habitación en la que ministraba mi amigo, un trabajador de una agencia cristiana de asistencia en Asia central. En ese país devastado por la guerra en el cual él servía abundaban los campos minados. Los preocupados individuos que pedían auxilio habían encontrado a un pastor de ovejas herido por una mina. Mi amigo sabía que con toda urgencia necesitaba decidir qué hacer. "Sabía que no era sabio entrar en un campo minado, pero sentí que el Señor quería que ayudara a esa persona necesitada", recordaba mi amigo. "Mientras me adentraba en el campo minado, observaba que todos los que me seguían caminaban en fila india pisando mis huellas".

Al fin mi amigo pudo localizar al herido. Lo cargó hasta la carretera e hizo señas a un camión para que se detuviera. Le rogó al conductor del camión que llevara al herido al hospital, pero ninguno de los ocupantes del atestado vehículo quería ceder su puesto. Entonces mi amigo le dijo a un trabajador que hablaba inglés: "Dile al conductor del camión que si lleva a este hombre al hospital estoy dispuesto a pagarle el doble de lo que le haya pagado cualquier pasajero". El trabajador, al interpretarle al conductor del camión las palabras de mi amigo, comentó: "Este cristiano va a pagar el pasaje del hombre en tanto que nosotros, musulmanes, no estamos dispuestos a hacer nada". En ese momento el conductor del camión rehusó aceptar el dinero e hizo sitio para poner al herido.

En ese país del Asia Central en el que no se acepta el cristianismo, esta historia moderna del buen samaritano se esparció por toda la comarca con el siguiente mensaje: "Eso es lo que hace un cristiano. Esa es la clase de servicio que presta un cristiano en el nombre de Jesús".

### LO QUE HACE UN CRISTIANO

Cuando Cristo es el centro de nuestra vida, ¿cómo servimos a los demás? ¿Qué nos vemos guiados a hacer por ser discípulos de Cristo? Aun cuando no sirvamos de trabajadores voluntarios en un país devastado por la guerra, como lo hace mi amigo, son infinitas las oportunidades que se nos presentan de prestar algún servicio sacrificial a los demás.

**Piense en alguna ocasión en que sacrificialmente usted prestó un servicio a alguien. Describa lo que hizo.**

_____

_____

> Son infinitas las oportunidades que se nos presentan de prestar algún servicio sacrificial a otros.

¿Qué oportunidades de prestar algún servicio tiene usted que no está aprovechando?

_____

Posiblemente ya habrá identificado a alguien necesitado u oportunidades de prestar algún servicio sacrificial en el nombre de Jesús. La clase de ministerio que analizamos no significa hacerse pastor u otra clase de obrero de la iglesia. Cada creyente es un ministro si sigue a Jesús y sirve a los demás al igual que Él lo hizo.

**Cada creyente es un ministro si sigue a Jesús y sirve a los demás al igual que Él lo hizo.**

### LLEVAR SU CRUZ

Para aprender cómo un discípulo ministra a otros, comience repasando uno de los primeros versículos que aprendió de memoria: Lucas 9:23, en el que Jesús esbozó los tres propósitos básicos de un discípulo.

 **Complete Lucas 9:23, a continuación, llenando los espacios en blanco. Luego recite ese versículo de memoria.**

**"Si alguno quiere venir en pos de mí, _____ a sí mismo, tome su _____ cada día, y _____".**

Los tres propósitos básicos de un discípulo son: negarse a sí mismo, tomar su cruz y seguir a Cristo. Durante la semana 1, cuando aprendió a poner a Cristo en el centro de su vida, el propósito fue la negación de sí mismo. En la semana 5, cuando aprendió a testificar al mundo y reproducir creyentes, el propósito fue el mandamiento de seguir a Cristo. Esta semana el propósito es la decisión de llevar la cruz.

Para Jesús, la cruz significó darse a sí mismo para redimir al mundo. Para los creyentes, llevar la cruz significa prestar servicio a los demás en forma voluntaria, restaurativa y sacrificada. Se entra en el ministerio de Él llevando su cruz.

*"De cierto, de cierto os digo, que si el grano de trigo no cae en la tierra y muere, queda solo; pero si muere lleva mucho fruto" (Juan 12:24).*

**Lea Juan 12:24 al margen. Marque la declaración que mejor explique la comparación de Jesús.**
❑ **1. Morir a la antigua manera de vivir hará que surja una vida nueva.**
❑ **2. Morir a sí mismo significa que probablemente uno tenga que vivir solo.**

Tendrá que morir a su antigua manera de vivir antes de poder consagrarse a Cristo. La negación de sí mismo recalca el acto de dejar de dedicarse a usted mismo para consagrarse a Él. Tomar la cruz de uno implica servir, en unión con Cristo, al mundo necesitado. El primer resultado será una visión nueva de uno mismo; el segundo será una visión nueva de la necesidad del mundo. La respuesta correcta es la 1.

**Lea Lucas 14:27 al margen. ¿Qué le sucederá al que rehuse cargar su propia cruz?**

_"Y el que no lleva su cruz y viene en pos de mí, no puede ser mi discípulo" (Lucas 14:27)._

---

Si usted rehusa cargar su cruz no podrá ser discípulo de Jesús. Para seguir a Cristo tendrá que cargar su cruz.

En Filipenses 2:8, al margen, Pablo explica por qué Jesús estuvo dispuesto a tomar su cruz. Jesús fue obediente a la voluntad del Padre para su vida aun cuando esto significara morir en una cruz. Del ejemplo de Jesús aprendemos que cargar la cruz del cristiano tiene dos características: (1) es una decisión voluntaria, y (2) es un acto de obediencia.

_Y estando en la condición de hombre, se humilló a sí mismo, haciéndose obediente hasta la muerte, y muerte de cruz (Filipenses 2:8)._

**Si deja usted de tomar su cruz, ¿cuál de los pecados siguientes habrá cometido?** ❑ **desobediencia** ❑ **deslealtad** ❑ **incredulidad**

Puede que la deslealtad y la incredulidad también estén incluidas, pero hay desobediencia a Cristo si uno deja de tomar su cruz, porque llevar la cruz es una orden directa de Cristo. Obedecer las órdenes de Jesús es el motivo principal de llevar nuestra cruz. El versículo de memoria para esta semana, Juan 15:13, establece el valor que le atribuyó Jesús al servicio sacrificial, por los demás.

**Un discípulo ministra a los demás aunque esto implique experimentar tribulaciones o dar su vida.**

**Comience a aprender de memoria el versículo de esta semana: Juan 15:13. Léalo en voz alta. ¿Qué dijo Jesús que un discípulo estaría dispuesto a hacer para demostrar su amor por los demás?**

Jesús dijo que un discípulo ministra a los demás aunque esto implique experimentar tribulaciones o dar su vida.

ESTUDIEMOS "LA CRUZ DEL DISCÍPULO"
La adición final a la cruz indicará cómo debe uno relacionarse con el mundo si es un discípulo de Cristo. Si Cristo está en el centro de su vida, crecerá como discípulo de Él mediante la disciplina de ministrar a los demás. Conforme vaya creciendo en Cristo, irá extendiendo sus manos hacia los demás a través de todo tipo de servicios. Uno llevará la cruz de Cristo aunque esto signifique experimentar dificultades.

**Dibuje La cruz del discípulo encima de la gráfica del mundo para mostrar cómo un discípulo alcanza el mundo testificando y ministrando. Póngale el rótulo a cada parte de la cruz.**

**GUÍA DIARIA
DE COMUNIÓN
CON EL MAESTRO**

❧

**LUCAS 10:26-35**

Qué me dijo Dios:

_____

_____

_____

_____

_____

_____

_____

Qué le dije yo a Dios:

_____

_____

_____

_____

_____

_____

_____

_____

_____

 Hoy, durante su devocional, lea Lucas 10:26-35, un pasaje acerca de alguien que tomó su cruz en favor de los demás. Después de leer ese pasaje, complete la Guía diaria de comunión con el Maestro al margen.

## DÍA 2

❧

# *Ministre en el nombre de Cristo*

Cuando yo era presidente del Seminario Teológico Bautista de Indonesia, contraté a un ex teniente coronel del ejército de ese país para que administrara las propiedades del seminario y supervisara a los empleados encargados de darles mantenimiento. Aunque sólo hacía seis meses que se había convertido, él era muy consagrado al Señor. El problema radicaba en que trataba de administrar las propiedades del seminario y a los empleados como a un ejército. Vez tras vez había yo tenido que intervenir para evitar que estallara la guerra entre los empleados y el referido supervisor.

Después de orar pidiendo la dirección de Dios decidí que necesitaba llevar la cruz y asumir las dificultades que fueran necesarias para discipular a ese hombre y enseñarlo a ser un supervisor eficiente. Usé la Biblia para enseñarle cómo relacionarse con sus empleados con paciencia, bondad y dominio propio. Este hombre sirvió eficientemente en el seminario por más de diez años.

A través del estudio de *Vida discipular* usted ha aprendido las seis disciplinas bíblicas de un seguidor de Cristo. En esas disciplinas se identifican cuatro recursos que están a la disposición de todo discípulo:
- La Palabra
- Oración
- Comunión cristiana
- Testimonio

Un discípulo que crece usa esos cuatro recursos para ayudar a los demás en el nombre de Cristo. El servicio que usted presta se expresa en varios ministerios:

1. **La Palabra nos conduce a un ministerio de enseñanza/ predicación.**
2. La oración nos conduce a un ministerio de adoración/ intercesión.
3. La comunión nos conduce a un ministerio de cuidados.
4. El testimonio nos conduce a un ministerio de evangelización.
5. La comunión cristiana y el testimonio nos conducen a un ministerio de servicio.

## UN MINISTERIO DE ENSEÑANZA/PREDICACIÓN

Eche un vistazo al primer ministerio que aprenderá, que aparece realzado con letras negrillas en el recuadro anterior. Pensará al instante: *Eso me deja fuera. Yo no he sido llamado a ser pastor. ¿Cómo podré ministrar de ese modo?*

Predicar un sermón es ciertamente una manera de ministrar mediante la disciplina de vivir en la Palabra. Definitivamente Dios llama a algunos a ser predicadores o evangelistas. Si vive en la Palabra, podrá saber si esa vocación es la voluntad de Dios para usted. No obstante, podrá participar en el ministerio de la enseñanza y la predicación aunque nunca proclame el evangelio frente a una congregación. La mayoría de los que permanecen en la Palabra por largo tiempo tienen la oportunidad de compartir, en una variedad de circunstancias, lo que Dios les ha comunicado.

**Podrá participar en el ministerio de la enseñanza y la predicación aunque nunca proclame el evangelio frente a una congregación.**

**Recuerde mi anécdota acerca del ex teniente coronel en el seminario. ¿Cómo usé el recurso de la Palabra en el ministerio de la enseñanza o la predicación?**

---

Empleé el recurso de la Palabra para enseñarle a ese hombre cómo el Señor quería que él se relacionara con los empleados a su cargo. Al explicarle qué dice la Palabra acerca de la paciencia, la bondad y el dominio propio como fruto del Espíritu, lo ayudé a ejercer la administración de un modo que honrara más a Cristo.

**Para comprender cómo usar el recurso de la Palabra en un ministerio de enseñar/predicar, puede usted observar las maneras en que ocurre la enseñanza en la Biblia. Asocie cada texto bíblico al margen con los ejemplos que siguen:**

*"He aquí que Dios es excelso en su poder; ¿qué enseñador semejante a él?" (Job 36:22).*

*"Por tanto, id, y haced discípulos a todas las naciones, bautizándolos en el nombre del Padre, y del Hijo, y del Espíritu Santo" (Mateo 28:19).*

*"Y vosotros, padres, no provoquéis a ira a vuestros hijos, sino criadlos en disciplina y amonestación del Señor" (Efesios 6:4).*

*"Los ancianos que gobiernan bien, sean tenidos por dignos de doble honor, mayormente los que trabajan en predicar y enseñar" (1 Timoteo 5:17).*

___ 1. Job 36:22

    a. Dios es un maestro. Muchos de los profetas, como Samuel, también actuaban como maestros.

___ 2. Mateo 28:19

    b. Se estimula a los padres a que les cuenten a sus hijos acerca de los hechos portentosos del Señor y a que los instruyan en los mandamientos de Dios.

___ 3. Efesios 6:4

    c. En el ministerio de Jesús, la enseñanza era su identidad primaria. En la Gran Comisión Jesús les ordenó a sus seguidores que hicieran discípulos y los instruyeran en obedecer sus enseñanzas.

___ 4. 1 Timoteo 5:17

    d. Cada vez que se establecían nuevas iglesias se hallaban presente maestros cristianos.

## GUÍA DIARIA DE COMUNIÓN CON EL MAESTRO

### JUAN 17:6-19

**Qué me dijo Dios:**

_____

_____

_____

_____

_____

_____

_____

_____

**Qué le dije yo a Dios:**

_____

_____

_____

_____

_____

_____

_____

_____

_____

En la actualidad enseñar forma parte del testimonio de nuestra fe. Para testificarle al mundo, los creyentes primero tienen que entender el evangelio para luego poder enseñárselo a otros. Una persona puede formar parte de un ministerio de enseñanza desde el púlpito, en un aula, en un estudio con un grupo pequeño o de uno en uno. Las respuestas correctas son 1. a, 2. c, 3. b, 4. d.

**Mencione maneras en que puede usted utilizar el recurso de la Palabra en un ministerio de enseñanza o de predicación.**

_____

No se preocupe si inmediatamente no se le ocurren ideas para ministrar. La meta es abrir nuevas posibilidades para comenzar a considerar su ministerio como seguidor de Cristo.

Memorizar las Escrituras es una manera de comenzar a emplear el recurso de la Palabra. Cuando uno guarda la Palabra de Dios en su corazón, la recordará al instante cuando quiera hablarle a otros de Cristo.

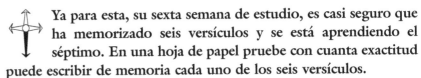

**Ya para esta, su sexta semana de estudio, es casi seguro que ha memorizado seis versículos y se está aprendiendo el séptimo. En una hoja de papel pruebe con cuanta exactitud puede escribir de memoria cada uno de los seis versículos.**

Si le fue difícil repetir alguno de los seis versículos, tal vez desee repasar la sección "Cómo memorizar las Escrituras" de la semana 5.

**Continúe su tarea de aprender el versículo de esta semana: Juan 15:13. Repítalo en voz alta de una a tres veces. Pídale a un miembro de su familia, o a alguna otra persona a quien vea diariamente, que le permita practicarlo recitándoselo en voz alta.**

### UN MINISTERIO DE ADORACIÓN/INTERCESIÓN

El ministerio que a continuación se destaca con letras negrillas es el próximo que ha de estudiar.

1. La Palabra nos conduce a un ministerio de enseñanza/ predicación.
2. **La oración nos conduce a un ministerio de adoración/ intercesión.**
3. La comunión nos conduce a un ministerio de cuidados.
4. El testimonio nos conduce a un ministerio de evangelización.
5. La comunión cristiana y el testimonio nos conducen a un ministerio de servicio.

Cuanto más ore, tanto más estará adorando. Orar equivale a ministrar delante del Señor (véase 1 Crónicas 23:13). Significa postrarse delante de Dios y adorarlo mediante la alabanza, la reverencia y la devoción. La oración le permite desarrollar una relación más estrecha con el Padre. La intercesión es la manera en que usted puede ministrar a los demás al llevar las necesidades de ellos delante del Señor.

El ministerio de la adoración puede tomar la forma de adoración individual durante su devocional y su tiempo de meditación. Con todo, va más allá de la oración privada. También adoramos cuando tenemos comunión con el cuerpo de Cristo, el cual se congrega como iglesia del Señor. La adoración en el ámbito de la familia de la iglesia ha ocurrido desde la época de los primeros cristianos, como lo indican los versículos del libro de los Hechos que aparecen al margen.

De nuevo pensará: *No soy ministro ni obrero laico de la iglesia. ¿Cómo podré ejercer un ministerio de adoración?* El enfoque de la verdadera adoración se centra en Dios y en la relación personal de usted con Él. Aunque no dirija a otros en la adoración, sí podrá servir al Señor mediante la adoración. Él espera que usted lo adore. La adoración es la manera principal en que podemos glorificar al Señor y es el motivo primordial de que Dios lo haya creado y redimido a usted (véase 1 Pedro 2:9). La iglesia primitiva nunca limitó la dirección de la adoración a ministros profesionales. Todos tenemos la responsabilidad de adorar, bien sea que Dios nos proporcione oportunidades para dirigir a grupos en experiencias de adoración o a participar en ellas al seguir la dirección de otros. También podemos adorar con nuestra familia conforme les ministremos a las personas que se hallan más cerca de nosotros. (Lea Deuteronomio 6:6-9, al margen.)

Conforme aprendió en la semana 4, la intercesión es el ministerio que tiene cada discípulo de llevar ante Dios las necesidades de la iglesia y del mundo. La intercesión puede tener como resultado vidas e iglesias cambiadas. Permanecer alerta a las necesidades de las personas y escribir sus preocupaciones nos capacita para interceder por ellos mediante la oración individual o colectiva.

**¿Cómo cree que Dios desea que emplee usted el recurso de la oración en un ministerio de adoración e intercesión?**

---

Puede comenzar su intercesión orando por los creyentes que sirven al Señor proclamando el evangelio por todo el mundo. Ore por ellos en tanto que le testifican al mundo y guían a otros para que también testifiquen. Conviértase en un socio de oración de ellos. Hágales saber que está orando por ellos y que pueden contar con la intercesión suya. Tal vez desee añadir a su lista el nombre de su pastor y el de otros obreros laicos de su iglesia para el pacto de oración y orar por sus necesidades específicas.

*"Y perseveraban en la doctrina de los apóstoles, en la comunión unos con otros, en el partimiento del pan y en las oraciones[...] Y perseverando unánimes cada día en el templo, y partiendo el pan en las casas, comían juntos con alegría y sencillez de corazón"* (Hechos 2:42, 46).

*"Y estas palabras que yo te mando hoy, estarán sobre tu corazón; y las repetirás a tus hijos, y hablarás de ellas estando en tu casa, y andando por el camino, y al acostarte, y cuando te levantes. Y las atarás como una señal en tu mano, y estarán como frontales entre tus ojos; y las escribirás en los postes de tu casa, y en tus puertas"* (Deuteronomio 6:6-9).

Antes de hacerme misionero oí decir a muchos de ellos que su mayor necesidad era la oración, incluso mayor que la ayuda financiera. Me hice el propósito delante de Dios de que, antes de comenzar a servir de misionero, reclutaría a tantos compañeros de oración como pudiera a fin de que Él hiciera más de lo que podría hacer yo solo como misionero. Recluté cerca de dos mil personas para que orasen por mí diariamente. Con el paso de los años la lista creció a seis mil. Les escribía todos los meses para presentarles mis peticiones de oración y para informarles acerca de las respuestas a sus oraciones. Creo que la obra que realizó el Señor por intermedio nuestro en Indonesia fue una respuesta directa a las súplicas de esos compañeros de oración. ¡Piense en lo que el Señor podría hacer por intermedio de su pastor y de los obreros de la iglesia si usted y otros oraran regularmente por ellos!

**Deténgase ahora mismo y ore, por nombre, por su pastor y los obreros de la iglesia. Ore por los demás miembros de su iglesia que sirven en las esferas de la enseñanza, la oración, los cultos de barrio, las obras de beneficencia, las misiones, la música y otras. Pídale a Dios que bendiga a cada uno según él (o ella) ministra a otros. Pídale que lo ayude a usted a descubrir cómo brindar su apoyo y demostrar amor por los líderes de la iglesia.**

**Hoy lea Juan 17:6-19 durante su devocional. Observe la manera en que Dios le habla por medio de ese pasaje acerca de la intercesión de Jesús por sus discípulos. Después de leer ese pasaje, complete la guía diaria de comunión con el Maestro de la página 120.**

# DÍA 3

## *Más maneras de ministrar*

Ya ha estudiado dos ministerios y los recursos que conducen a su expresión en la vida de un discípulo. Ahora aprenderá un tercero, el cual se resalta a continuación con letras negrillas, con su recurso correspondiente.

1. La Palabra nos conduce a un ministerio de enseñanza/predicación.
2. La oración nos conduce a un ministerio de adoración/intercesión.
3. **La comunión cristiana nos conduce a un ministerio de cuidados.**
4. El testimonio nos conduce a un ministerio de evangelización.
5. La comunión cristiana y el testimonio nos conducen a un ministerio de servicio.

## UN MINISTERIO DE CUIDADOS.

La comunión con los creyentes nos guiará, con el paso del tiempo, a discipular a nuevos creyentes. Una consecuencia normal de formar parte del cuerpo de Cristo es la de cuidar a los bebés espirituales y ayudarlos a crecer hasta que lleguen a ser creyentes maduros. Dios le otorga a algunos los dones especiales de orientar y capacitar a otros en las varias fases del crecimiento espiritual. En la Biblia eso sucede varias veces, como por ejemplo cuando Jesús vio el potencial de Simón y lo ayudó a crecer hasta convertirse en la piedra llamada Pedro (véase Juan 21:15-17 al margen). Bernabé animó al indeciso Juan Marcos, el cual creció y más tarde escribió uno de los evangelios. Cristo se nos revelará según mantengamos comunión con otros creyentes.

Un ministerio de cuidado podría implicar:

❏ orientar a nuevos creyentes en la hora de decisión;

❏ ayudar a los bebés espirituales a comprender qué significa tener vida nueva en Cristo;

❏ guiar a un grupo pequeño de discípulos a conocer lo que significa seguir a Cristo;

❏ prestar servicio en comités que vean el potencial que existe en los miembros y los recomienden para que desempeñen cargos en la iglesia;

❏ capacitar líderes;

❏ enseñar a las personas cómo testificar;

❏ orientar a individuos en sus necesidades íntimas.

En todas las situaciones la nutrición podría implicar servirles de ejemplo, al igual que hizo Cristo con los que formó como sus discípulos. Los demás necesitan ejemplos de la vida cristiana que les señalen a Cristo.

**En la lista anterior, marque las maneras en que ya usted sirve y dibuje una estrella al lado de los puntos que piense que Dios podría querer que usted lleve a cabo en un ministerio de cuidados.**

¿Recuerda la definición de *discipulado* que aprendió anteriormente? Lea ahora esta definición de *discipular* o *hacer discípulos*.

> Discipular es guiar a otros a desarrollar una relación personal de obediencia a Cristo para toda la vida, en la que Él transforme su carácter para que sea más parecido al de Cristo, es cambiar los valores a aquellos que se refieren al Reino de Dios, y hacerlos partícipes en la misión de Dios.

Para cumplir con la Gran Comisión, necesita guiar a otros a una relación de obediencia a Cristo para toda la vida. Esa es su responsabilidad. Luego, déjelos que crezcan en su relación con Cristo hasta que Él los transforme a su imagen y semejanza y los haga participar en su misión (la de Dios). Cada discípulo debe ayudar a otros discípulos a crecer en comunión los unos con los otros.

*"Cuando hubieron comido, Jesús dijo a Simón Pedro: Simón, hijo de Jonás, ¿me amas más que estos? Le respondió: Sí, Señor; tú sabes que te amo. Él le dijo: Apacienta mis corderos. Volvió a decirle la segunda vez: Simón, hijo de Jonás, ¿me amas? Pedro le respondió: Sí, Señor; tú sabes que te amo. Le dijo: Pastorea mis ovejas. Le dijo la tercera vez: Simón, hijo de Jonás, ¿me amas? Pedro se entristeció de que le dijese la tercera vez: ¿Me amas? y le respondió: Señor, tú lo sabes todo; tú sabes que te amo. Jesús le dijo: Apacienta mis ovejas"* (Juan 21:15-17).

**Cada discípulo debe ayudar a otros discípulos a crecer en comunión los unos con los otros.**

¿Usted cree que ha sido un ejemplo para los demás durante este estudio de *Vida discipular*? ¿Alguna de las personas le ha comentado: Creo que usted ha cambiado desde que comenzó este estudio? De ser así, tal vez, haya ocurrido debido a un mayor entendimiento de lo que significa vivir una vida cristiana. Tal vez, alguien ha observado que usted se preocupa por el bienestar de las personas. O quizás su familia ha notado que está teniendo su devocional diario. Espero que de alguna manera su modo de vivir haya cambiado al punto de que nuevas formas de pensar y de conducirse se hagan obvias en sus acciones.

 **Dígale a alguien cómo se ha beneficiado al estudiar este proceso de *Vida discipular*. Hágalo aunque nadie le haya dicho que nota un cambio visible en su vida.**

## EL MINISTERIO DE EVANGELISMO

El cuarto ministerio del discípulo aparece en negrita abajo.

---

1. La Palabra nos conduce a un ministerio de enseñanza/predicación.
2. La oración nos conduce a un ministerio de adoración/intercesión.
3. La comunión nos conduce a un ministerio de cuidados.
4. **El testimonio nos conduce a un ministerio de evangelismo.**
5. Los recursos que nos ofrecen la comunión y el testimonio nos conducen a un ministerio de servicio.

---

El célebre evangelista D.L. Moody hizo el compromiso de testificarle a alguien cada día de su vida. Aun después de acostarse si entonces recordaba que no le había testificado a alguien en ese día, se levantaba y le hablaba a alguien de Cristo.[1] El recurso decisivo que usted tiene para vivir una vida cristiana es el testimonio. Nada alienta más a los creyentes que dar testimonio, especialmente cuando ven que alguien ha recibido a Cristo. Del recurso del testimonio crece el ministerio de evangelismo. Existen varios tipos de evangelismo: el evangelismo de las películas, el relacional, los tratados, las campañas, pero todos comienzan con el testimonio personal.

El evangelismo es la proclamación de las buenas nuevas de salvación en Cristo. Nuestro evangelismo es el instrumento que usa el Espíritu Santo para convertir al perdido. Es la manera que usa el Señor para enseñarles a otros sobre sí mismo. Como creyente, usted no persuade a la persona a tomar una decisión. Más bien, le cuenta a ellos acerca de Cristo, los llama a arrepentirse, y dar la gloria a Dios por lo que ocurre.

**Lea la Gran Comisión que se encuentra en Mateo 28:19 en el margen. ¿Qué le dice Cristo acerca de su responsabilidad de evangelizar?**

**Todo evangelismo comienza con el testimonio personal.**

*"Por tanto, id, y haced discípulos a todas las naciones, bautizándolos en el nombre del Padre, y del Hijo, y del Espíritu Santo"* *(Mateo 28:19).*

La Gran Comisión lo llama a usar el recurso del testimonio. Por medio de la Gran Comisión el Señor le ha dado la responsabilidad de expresarle a otros el conocimiento de su amor.

Tal vez piense: *¿Cómo hacer esto? No soy D.L. Moody. Ni tampoco Billy Graham. No tengo las habilidades de un evangelista o de alguien que atrae multitudes para hablarles de Cristo.* Recuerde que D.L. Moody usó el recurso del testimonio para tratar con una persona a la vez, mucho antes de convertirse en un famoso evangelista. El testimonio personal es una manera importante de expresar el ministerio de evangelismo.

**Escriba el versículo para memorizar Juan 15:13. Describa aquí lo que piensa que una persona deseosa de dar su vida por un amigo o amiga podría hacer con su testimonio.**

_____

_____

_____

Quizás haya respondido que podría asegurarse que esa persona tuviera el regalo de la vida eterna por medio de su testimonio.

Puede expresar el ministerio de evangelismo de diferentes maneras:

❑ Un modo de vivir: Vivir una vida cristiana que llame la atención de las personas que no son creyentes y le brinde la oportunidad de testificar.

❑ Pequeños grupos de evangelismo: Participar en pequeños grupos de personas con un interés similar de enseñar el evangelio de Cristo.

❑ El evangelismo de la iglesia: Visitar hogares, haciendo un censo, o usando otras acciones que le aseguren que cada persona que se encuentra dentro del radio de influencia de su iglesia ha escuchado el mensaje del evangelio.

❑ Evangelismo masivo: Ayudar a su iglesia a reunir personas de la comunidad para celebrar una campaña en la iglesia o en un estadio.

❑ Evangelismo a través de las misiones: Llegar a otras culturas para hablar de Jesús. Hacerlo como misionero profesional, como misionero temporal, o como obrero bivocacional, o a través de su ofrenda y oraciones por las causas misioneras.

❑ Otras: _____

**En la lista anterior, marque las maneras en que ya puede haber servido y dibuje una estrella junto a la(s) tarea(s) que piense que Dios desearía que usted hiciera en un ministerio de evangelismo.**

---

## GUÍA DIARIA DE COMUNIÓN CON EL MAESTRO

### 1 TIMOTEO 6:11-21

**Qué me dijo Dios:**

_____

_____

_____

_____

_____

_____

_____

_____

**Qué le dije yo a Dios:**

_____

_____

_____

_____

_____

_____

_____

_____

_____

Es posible que todavía no sepa exactamente cómo quiere Dios que ministre en dicha área. El propósito de estos ejercicios es animarlo a comenzar a pensar qué uso puede darle a los recursos valiosos que le pertenecen como discípulo de Cristo.

### ESTUDIAR LA CRUZ DEL DISCÍPULO

**Dibuje nuevamente La cruz del discípulo sobre el dibujo del mundo. Luego agregue flechas con puntas en los extremos de los listones de la cruz. En los extremos de las flechas con** puntas escriba las áreas del ministerio que corresponden a cada parte de la cruz: *el ministerio de la enseñanza/predicación* debajo de la cruz, *el ministerio de la adoración/intercesión* encima de la cruz, *el ministerio de cuidados* a la derecha de la cruz y *el ministerio de evangelismo* a la izquierda de la cruz.

**Hoy lea 1 Timoteo 6:11-21 durante su devocional. Permita que el Señor le hable por medio de este pasaje acerca de la manera en que Pablo cuidaba de Timoteo. Después de leer** ese pasaje, complete la guía diaria de comunión con el Maestro de la página 125.

# DÍA 4

# *Las exigencias de Cristo*

Jesús no siempre pintó un cuadro color de rosa para los discípulos cuando les hablaba de lo que les esperaría. Durante sus últimos días en la tierra, Jesús resumió para sus discípulos lo que podrían afrontar si lo seguían. Todo sufrimiento que resistieran por tomar su cruz sería una pena que Él ya había conocido. Les dijo que el mundo los odiaría porque eran seguidores de Él y porque testificarían en su nombre. A veces es posible que usted se incline por saltear versículos como Juan 15:18 porque los mismos indican que la vida en Cristo será difícil. Lea lo que dice un pastor argentino acerca de ese asunto:

*El evangelio que tenemos en la Biblia es el evangelio del Reino de Dios. Presenta a Jesús como Rey, como Señor, como la autoridad máxima. Jesús está en el centro mismo del mensaje. El evangelio del reino es un evangelio cristocéntrico.*

*Sin embargo, en siglos recientes hemos estado escuchando otro evangelio: un evangelio individualista, el evangelio humano. Es el evangelio de la gran oferta. El evangelio de la atractiva venta por liquidación. Se trata del evangelio rotulado con un precio de ocasión irresistible[...] Le hemos dicho a la gente "Si aceptas a Jesús, tendrás gozo, paz, salud y prosperidad[...] Si das diez dólares, recibirás veinte como recompensa"[...] Siempre apelamos a los intereses de las personas. Es verdad que Jesús es el Salvador, el Sanador, y el Rey que viene por mí. Mí es el centro de nuestro evangelio.*

*Tomamos todos los versículos que nos gustan, todos los que ofrecen algo o prometen algo: Juan 3:16, Juan 5:24, etc. etc.... y elaboramos una teología sistemática a partir de esos versículos, mientras que olvidamos los otros versículos que presentan las exigencias de Cristo... ¿Quién dijo que se nos permitía presentar un solo aspecto de Cristo?... Es cierto que Él es nuestro Salvador y nuestro Sanador, pero no podemos cortar a Jesús en pedazos y tomar solamente lo que más nos gusta.[2]*

No podemos aceptar la parte del mensaje de Jesús que nos guste y rechazar lo que no nos guste. Debemos aceptarlo por completo.

**Escriba una lista con las ordenanzas que Cristo dio a sus discípulos, las cuales usted no ha obedecido.**

_____

_____

## ESPERE SER RECHAZADO

La realidad es que, cuando usted cumple con lo que Cristo requiere para ministrar a los demás, puede que experimente el rechazo de ellos. Por ejemplo, ¿sintió usted rechazo o percibió cierta indisposición cuando comenzó a alcanzar a su amigo no creyente? A veces es posible que sienta un rechazo sutil al principio. También es posible que perciba al comienzo que su amigo no esté dispuesto a aprender más de Cristo.

Uno de mis vecinos, que no era creyente, comenzó a jugar softbol en el equipo de la iglesia el cual yo integraba. Cuando pudimos conocernos mejor, traté de testificarle de mi fe con diplomacia, pero me pareció

*"Si el mundo os aborrece, sabed que a mí me ha aborrecido antes que a vosotros" (Juan 15:18).*

**No podemos aceptar la parte del mensaje de Jesús que nos guste y rechazar lo que no nos guste. Debemos aceptarlo por completo.**

**Cuando usted cumple con los requisitos de Cristo, puede que experimente el rechazo.**

que nunca estuvo preparado para responder al evangelio. No pude evitar sentirme rechazado en cierta medida cuando percibí continuamente que mi vecino no estaba dispuesto a escuchar mi testimonio.

Un día, mientras me preparaba para un viaje al exterior para dirigir un adiestramiento de *Vida discipular,* sentí que Dios me guiaba a hablarle a mi vecino antes de partir. Esa noche, mi esposa y yo lo visitamos y lo guiamos a Cristo. Cultivar su amistad y expresar mi preocupación por él nos trajo la oportunidad de testificarle. Me alegro de no haberme desanimado cuando al principio me sentí rechazado.

**Esta semana haga algo bondadoso por el amigo no creyente con quien se relacionó la semana pasada. Trate de saber todo lo que pueda acerca de ese nuevo amigo y prepárese para relatarle a su grupo de *Vida discipular* lo que sucedió.**

## LA PROMESA DE SU PRESENCIA

Sin embargo, después de advertir a sus discípulos acerca de la posibilidad del rechazo, Jesús pintó para ellos otro lienzo con el fin de comprometerlos a diseminar las buenas noticias fervientemente, sin importar lo que pudieran afrontar. Lea los versículos del margen.

Jesús les volvió a asegurar que tendrían al Espíritu Santo para que los asistiera mientras testificaban de Cristo. Él no los dejaría sin ayuda ni recursos. El Espíritu Santo los guiaría mientras siguieran adelante para servir a los demás.

Dos mil años después, Jesús nos hace la misma promesa y nos da las mismas órdenes. Jesús nos envía al mundo, aunque advirtiéndonos que nos odiarían, pero no nos deja sin recursos. Nos da el Espíritu Santo para facultarnos y darnos valor.

*"Pero cuando venga el Consolador, a quien yo os enviaré del Padre, el Espíritu de verdad, el cual procede del Padre, él dará testimonio acerca de mí. Y vosotros daréis testimonio también, porque habéis estado conmigo desde el principio" (Juan 15:26-27).*

**Ore por las personas inconversas que se mencionaron en el grupo durante la última sesión. Es posible que usted haya escrito sus nombres en su lista para el pacto de oración o en alguna otra parte. Si no lo hizo, tal vez desee agregar sus nombres en su lista durante la próxima sesión del grupo. Mientras tanto, siga pidiendo en oración que sus compañeros del grupo de *Vida discipular* vivan vidas semejantes a la de Cristo presentando el ejemplo de Cristo a los demás.**

## UN MINISTERIO DE SERVICIO

¿Podría ser un ministerio de servicio aquel al cual Cristo lo ha llamado a usted? Su testimonio y comunión conllevan el servicio cristiano a otras personas. Esos elementos constituyen la quinta área de ministerio que se agrega a las cuatro que usted ya ha estudiado.

**Su testimonio y comunión conllevan el servicio cristiano a otras personas.**

> 1. La Palabra nos conduce a un *ministerio de enseñanza/ predicación.*

> 2. La oración nos conduce a un *ministerio de adoración/intercesión*
> 3. La comunión nos conduce a un *ministerio de cuidados*.
> 4. El testimonio nos conduce a un *ministerio de evangelización*
> **5. La comunión cristiana y el testimonio nos conducen a un ministerio de servicio.**

Juan 15:13 dice "Nadie tiene mayor amor que este, que uno ponga su vida por sus amigos". Usted ha de tener parte en un ministerio de servicio como Cristo lo hizo.

## ESTUDIAR LA CRUZ DEL DISCÍPULO

**Dibuje La cruz del discípulo como aprendió a dibujarla el día 3, con la cruz sobre el dibujo del mundo y con flechas con puntas en los listones de la cruz. Escriba las áreas del ministerio que corresponden a cada parte de la cruz. Luego escriba *Ministerio de servicio, Juan 15:13* encima del listón horizontal. A medida que va escribiendo las disciplinas, los ministerios y los versículos bíblicos correspondientes, explique el diagrama en voz alta. Asegúrese de recitar en voz alta todos los versículos memorizados que escribió.**

**Un taller de trabajo de discípulos en formación será la conclusión de este estudio. En dicho taller de trabajo, usted repasará todo lo que ha aprendido y se preparará para comenzar el proceso de *Vida discipular 2: La personalidad del discípulo*. Antes de comenzar el taller de trabajo, explique La cruz del discípulo a un miembro de su grupo.**

## QUÉ SIGNIFICA SER DISCÍPULO

Puede aprender una manera fácil de recordar lo que ha estudiado en el libro 1 de *Vida discipular*. Resumir lo que significa ser discípulo es tan fácil como 1-2-3-4-5-6:

## GUÍA DIARIA DE COMUNIÓN CON EL MAESTRO

### JUAN 15

**Qué me dijo Dios:**

_____

_____

_____

_____

_____

_____

_____

**Qué le dije yo a Dios:**

_____

_____

_____

_____

_____

_____

_____

_____

**1 Señor como primera prioridad de mi vida**
- El centro de la cruz destaca el tiempo dedicado al Maestro.

**2 Relaciones**
- El listón vertical de la cruz representa su relación con Dios.
- El listón horizontal de la cruz representa su relación con los demás.

**3 Compromisos**
- Negarse a usted mismo
- Tomar su cruz
- Seguir a Cristo

**4 Recursos para que Cristo sea el centro de su vida**
- La Palabra
- Oración
- Comunión
- Testimonio

**5 Ministerios que se desarrollan de los cuatro recursos**
- Enseñanza/Predicación
- Adoración/Intercesión
- Cuidados
- Evangelismo
- Servicio

**6 Disciplinas de un discípulo**
- Dedicar tiempo al Maestro
- Vivir en la Palabra
- Orar con fe
- Tener comunión con los creyentes
- Testificar al mundo
- Ministrar a otros

Para reforzar este plan de discipulado 1-2-3-4-5-6, complete los espacios en blanco a continuación. Un discípulo de Cristo tiene:

1 _____.

2 Relaciones: _____.

3 Compromisos: _____

_____.

4 Recursos: _____

_____.

5 Ministerios: _____

_____.

6 Disciplinas: _____

_____.

✠ Hoy durante su devocional vuelva a leer Juan 15. Esta vez busque qué le dice Dios en este pasaje sobre ministrar a los demás. Después de leer el pasaje, complete la Guía diaria de comunión con el Maestro en la página 130.

1 Señor
2 Relaciones
3 Compromisos
4 Recursos
5 Ministerios
6 Disciplinas

¿Ha marcado una diferencia en su vida su devocional? Todo lo que ha hecho en su estudio de *Vida discipular 1: La cruz del discípulo*, incluyendo la memorización de versículos y el aprendizaje de La cruz del discípulo, ha requerido un compromiso de tiempo. Espero que al mejorar el uso de su tiempo por medio de los conceptos de *Vida discipular*, haya encontrado tiempo para comprometerse en las tareas que el Señor tiene en mente para usted.

✠ Deténgase y ore, pidiéndole al Señor que continúe guiándolo a medida que planea sus días usando el diseño de *Vida discipular*. Prepárese a contarle a su grupo cómo lo ha beneficiado el uso de *Vida discipular* en sus planes.

¿QUE EXPERIENCIAS TUVO EN ESTA SEMANA?
Repase "Mi andar con el Maestro esta semana". Marque las actividades terminadas y finalice las que no haya completado. Termine cualquier actividad que pudiese estar incompleta en alguna de las semanas. Piense en el informe que dará en el taller de trabajo de discipulado.

# DÍA 5

## *Un verdadero discípulo*

En 1983 dirigí el estudio de *MasterLife (Vida discipular en su versión en inglés)* en Kenia después de que casi me negaron el acceso a ese país. Cuatro años antes que el comunismo tomase control sobre Etiopía, habían prohibido los cultos en las iglesias, ordenando que no más de cinco personas podían reunirse sin pedir permiso. Por supuesto que los comunistas no otorgaban permisos para tener cultos de adoración. Un creyente etíope que conocí en el estudio, me dijo que muchos miembros de su iglesia, que tenía una membresía de 800 personas, se habían alejado de la fe debido a lo difícil de las circunstancias.

"Otros seis hombres y yo decidimos que debíamos hacer algo para llevar a cabo la obra", me dijo. Se acercaron al misionero veterinario Jerry Bedsole, que tenía permiso para permanecer en Etiopía porque se encargaba de los animales del palacio. Jerry comenzó a discipular a esos creyentes etíopes secretamente en su casa, usando el curso de *MasterLife (Vida discipular en su versión en inglés)*. Más tarde, cada una de esas personas discipuló a otras cuatro. "No podíamos reunirnos en el mismo

"Debemos hacer algo para llevar a cabo la obra".

lugar o a la misma hora cada semana; tampoco podíamos llevar nuestras Biblias a la reunión; y teníamos que orar con nuestros ojos abiertos, usando una manera conversacional de oración, para que no fuéramos descubiertos", nos decía el hombre.

Debido al temor que tenían los cristianos etíopes de que los comunistas confiscaran sus Biblias, desarrollaron un plan para que cada persona memorizara una parte de la Biblia, de manera tal que pudiesen ser capaces de reproducirla. "Yo estoy memorizando uno de los evangelios", me dijo el hombre.

"Sabemos que iremos a la cárcel", respondió antes de que le preguntara. "Algunos de nosotros ya hemos ido, pero el gobierno no sabe qué hacer con nosotros cuando nos tienen detrás de las rejas. Damos testimonio y los demás prisioneros se convierten, entonces nos echan nuevamente fuera", nos comentó. Con el tiempo, mi amigo comenzó una misión subterránea de grupos de discipulado en 170 lugares del país.

Varios años más tarde, después que cayera el comunismo, mi amigo etíope estaba de visita en Kenia cuando volví allí. Este irreprensible hombre aún ardía por Cristo, ahora sin la restricción del gobierno. En su informe dijo que las iglesias de Etiopía habían comprado cien mil ejemplares del curso de *MasterLife (Vida discipular en su versión en inglés)* para preparar a los etíopes que querían ser discipulados.

Cuando la puerta parece haberse cerrado, Dios puede marcarnos la oportunidad para servirle. Frecuentemente, debemos adaptar nuestras vidas para seguirlo en obediencia.

**¿Qué pasaría con usted si estuviera en el lugar de mi amigo etíope, sin iglesia para adorar a Dios? ¿Qué haría si no pudiese cantar alabanzas a Dios? ¿Qué sucedería si el gobierno se llevara su Biblia y le prohibiera testificar? Describa cómo permanecería unido a la Vid bajo estas circunstancias.**

---

### ESTUDIAR LA CRUZ DEL DISCÍPULO

La cruz del discípulo ha sido la base de muchos sermones improvisados, conversaciones y oportunidades para testificar de personas que aprendieron y dominaron los conceptos de este curso.

Si La cruz del discípulo es parte de su vida:
- ❏ deberá saber las seis disciplinas básicas del discípulo;
- ❏ experimentará una relación más cercana con Cristo a medida que pone en práctica dichas disciplinas cada día;
- ❏ usará La cruz del discípulo para recordarse y recordarle a los demás creyentes el compromiso que requiere ser discípulo de Cristo;
- ❏ usará las seis disciplinas para seguir la dirección del Espíritu Santo a medida que se enfrenta con los problemas;
- ❏ ayudará a otros discípulos a vivir en Cristo y a dar fruto para la gloria de Él.

**Cuando la puerta parece haberse cerrado, Dios puede marcarnos la oportunidad para servirle.**

**La cruz del discípulo representa su relación con Cristo como su discípulo.**

*"Así que, si alguno se limpia de estas cosas, será instrumento para honra, santificado, útil al Señor, y dispuesto para toda buena obra" (2 Timoteo 2:21).*

Su meta en el discipulado se expresa en 2 Timoteo 2:21, en el margen. Crezca en todas las disciplinas que abarcan su vida y prepárese para que el Maestro se valga de ellas. Si usted desarrolla todas estas disciplinas, su vida será balanceada y fructífera.

**Repase la lista de las maneras en que el conocimiento de La cruz del discípulo le ayuda como discípulo. Verifique cómo ya se ha beneficiado al conocer La cruz del discípulo. Luego, marque las maneras en que usted puede continuar creciendo.**

Ya aprendió las seis disciplinas usando el diagrama de la cruz. Una forma de reforzar el hecho de haber aprendido dichas disciplinas es ilustrarla de una forma diferente. Piense en algún otro objeto: un vehículo, un árbol, una montaña, un edificio o un cono, y trate de ilustrar los elementos de La cruz del discípulo. Tal vez piense que usted no tiene sensibilidad artística. No se preocupe por la manera en que se vea su dibujo, lo más importante de esto es incluir todos los conceptos.

**✝ Dibuje ese objeto que ha elegido como alternativa para ilustrar las seis disciplinas. Incluya los versículos para memorizar que le correspondan. Si el espacio que sigue no es suficiente, use una hoja de papel en blanco. Cuando termine, inserte la hoja en este lugar del libro. Prepárese para explicar su ilustración en la reunión del grupo discipular.**

*¿Dónde estoy en mi relación con Cristo? ¿Cuán lejos estoy de tener una relación de obediencia a Cristo para toda la vida como quisiera? Si Él quisiera transformar mis valores en los valores del reino, ¿hasta dónde llegaría?*

Cuanto más honesto sea, mejor. Cuando asista a la reunión de discipulado, aprenderá a interpretar sus respuestas. Ahora ya puede decidir sobre la necesidad de trabajar adicionalmente en ciertas áreas de su relación con Cristo. Considerará este inventario nuevamente al final del libro 4 para identificar las áreas en las cuáles ha crecido.

Felicitaciones por completar el curso de estudio de *Vida discipular 1: La cruz del discípulo*. Espero que esté comenzando a aprender lo que significa ser un discípulo de Cristo. Pero el peregrinaje recién ha empezado. Lo aliento a que continúe con *Vida discipular 2: La personalidad del discípulo* en su viaje hacia una relación de obediencia a Cristo para toda la vida.

---

1. R. A. Torrey, *Why God Used D.L. Moody* [Por qué Dios usó a D.L. Moody] (Chicago: Moody Press 1923), 42.
2. Juan Carlos Ortiz, *Disciple* [Discípulo] (Carol Stream, Ill.: Creation House, 1975), 12-16.

---

## GUÍA DIARIA DE COMUNIÓN CON EL MAESTRO

### 1 TIMOTEO 2

**Qué me dijo Dios:**

_____

_____

_____

_____

_____

_____

_____

**Qué le dije yo a Dios:**

_____

_____

_____

_____

_____

_____

_____

_____

# La cruz del discípulo

La cruz del discípulo es el punto de partida de todo lo que aprenda en *Vida discipular 1: La cruz del discípulo*. La cruz provee un instrumento para visualizar y entender sus oportunidades y responsabilidades como discípulos de Cristo.

A continuación encontrará las instrucciones, paso por paso, para presentar a otra persona La cruz del discípulo. Cada semana de estudio aprenderá una porción de La cruz del discípulo y de la Escritura que la acompaña. A medida que aprende los conceptos de la cruz y que los repasa en el futuro, encontrará muy útil referirse a estas explicaciones paso a paso, y completar los dibujos de la página 135. No trate de memorizar esta presentación. Aprenderá a hacer la presentación usando sus propias palabras. No se sienta abrumado por la cantidad de material que se abarca. Lo aprenderá en segmentos semanalmente. Al final del estudio, será capaz de explicar los conceptos del dibujo de la cruz, y recitar todos los versículos bíblicos que los acompañan.

Para explicárselo a alguien, use una hoja de papel en blanco, sin rayas, para dibujar la ilustración desarrollada en diferentes etapas. Las instrucciones que le corresponden a usted están debajo de las ilustraciones. El material que se encuentra debajo es la presentación que le dará a la otra persona.

Un discípulo es una persona que ha hecho a Jesucristo el Señor de su vida. (Cite Lucas 9:23 y escriba la referencia y los tres compromisos en la esquina superior derecha de la página: *negarse, cruz, seguir*. El primer compromiso que debe hacer el discípulo es negarse a sí mismo. Esto no quiere decir negar su identidad, sino renunciar a una vida egocéntrica, donde las cosas giran en torno a su persona. Para hacer esto el discípulo de Cristo aprende a seguir las seis disciplinas de la vida cristiana.

## DEDICARLE TIEMPO AL MAESTRO

(En el centro de la página dibuje un círculo.) El círculo vacío representa su vida. Ilustra la negación de sí mismo. No puede ser un discípulo de Jesús si no está dispuesto a negarse a sí mismo. Si el círculo representa su vida, Cristo deberá llenar el círculo. (Escriba la palabra *Cristo* en el círculo.) Cristo debe tener la prioridad en todo. La vida en Cristo es Cristo viviendo en usted. (Escriba *Juan 15:5* debajo de la palabra *Cristo* en el círculo y recite el versículo de memoria.) ¿Qué puede hacer si no permanece en Cristo? ¡Nada! Cristo dice que Él es la Vid y nosotros los pámpanos. Los pámpanos son parte de la Vid. Usted es parte de Cristo. Él quiere vivir su vida a través suyo. ¿Es esta la clase de vida que le gustaría tener?

**Lucas 9:23**
**Negarse**
**Cruz**
**Seguir**

**Cristo**
Juan 15:5

Además de negarse a sí mismo, usted debe llevar la cruz. La cruz del discípulo ilustra los recursos que Cristo da para ayudarnos a vivir en Él. (Dibuje una cruz alrededor del círculo.)

## VIVIR EN LA PALABRA: JUAN 8:31-32

La manera de tener vida en Cristo es tener su Palabra en usted. (Escriba: *Palabra* y *Juan 8:31-32* en el listón de abajo y recite estos versículos de memoria.) La Palabra es su alimento. No puede crecer más en Cristo a menos que regularmente se alimente de la Palabra. Usted recibe las Palabra de muchas maneras: escuchando a otros predicar, leyéndola, estudiándola, memorizándola, meditando en ella y aplicándola. Hacer de Cristo su Señor significa que usted desea estudiar, meditar y aplicar la palabra regularmente.

## ORAR CON FE

Parte de la vida en Cristo y de tener una relación con Él es orar con fe. (Escriba: *Oración* y *Juan 15:7* en el listón de arriba de la cruz y recite de memoria el versículo. Señale las palabras *Cristo, Palabra* y *oración* a medida que recita el versículo.) Si permanece en Cristo y en su Palabra, puede pedir lo que desea, que Dios lo hará. Fíjese que el listón vertical de la cruz, representando la Palabra y la oración, destaca su relación con Dios, las maneras básicas que tiene de comunicarse con Dios, y las maneras básicas que Él tiene para comunicarse con usted.

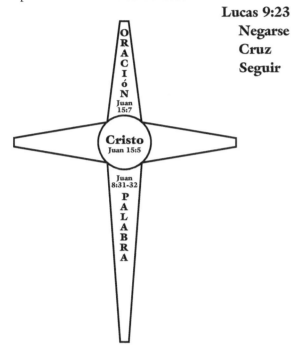

**Lucas 9:23**
**Negarse**
**Cruz**
**Seguir**

## TENER COMUNIÓN CON LOS CREYENTES

Una vida en Cristo significa que usted vive en comunión con sus hermanos en Cristo. (Escriba la palabra *compañerismo* y *Juan 13:34-35* en el listón derecho de la cruz y recite de memoria los versículos.) Jesús dijo que la manera como podemos demostrar que realmente somos sus discípulos es amándonos unos a otros. Dios le ha provisto el lugar ideal para crecer: su iglesia. La iglesia no es un edificio o una organización, aunque se vale de ambos. La iglesia es el cuerpo de creyentes bautizados, que han decidido llevar adelante el ministerio de Cristo en la tierra. Los creyentes consagrados se mantienen en comunión con el cuerpo local de creyentes para crecer en Cristo. ¡La iglesia es el cuerpo de Cristo! Si tiene vida en Cristo, ya se ha dado cuenta de lo importante que es vivir en su cuerpo, la iglesia.

## TESTIFICAR AL MUNDO

La vida en Cristo incluye el testimonio a los demás. Implica otra manera de seguir a Cristo y comprometerse como discípulo. Dar testimonio es decir a otros lo que Cristo ha hecho y la relación que tenemos con Él. (Escriba la palabra *testimonio* y *Juan 15:8* en el listón de la izquierda de la cruz y recite el versículo de memoria.) Si permanece en Cristo, a su tiempo dará fruto espiritual. El fruto puede ser el fruto del Espíritu o un nuevo creyente. Gálatas 5:22-23 hace una lista del fruto del Espíritu: amor, gozo, paz, paciencia, benignidad, bondad, fe, mansedumbre y templanza. El fruto no siempre crece rápido, pero crece continuamente y da fruto a su tiempo. El fruto es el resultado natural y normal cuando Cristo es el centro de su vida.

Jesús dijo que la manera de demostrar que usted es su discípulo es dando mucho fruto. Esto incluye el testimonio. El testimonio es el resultado natural de vivir en Cristo. Si usted está pasando tiempo con el Maestro, viviendo diariamente la Palabra, orando con fe, y teniendo comunión con el pueblo de Dios, podrá naturalmente contarle a otros lo que Cristo ha hecho en su corazón.

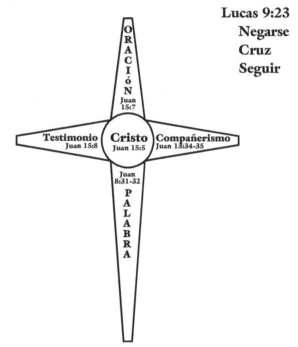

**Lucas 9:23**
**Negarse**
**Cruz**
**Seguir**

## MINISTRAR A OTROS

A medida que el fruto del Espíritu crece en su vida en Cristo, usted también alcanza a otros a través de ese ministerio. Tome su cruz para servir a otros, este es otro compromiso del discípulo. Llevar la cruz es el servicio voluntario y redentor por los demás.

Mire nuevamente el círculo de la cruz. Su vida en Cristo debe continuar expandiéndose y creciendo. (Haga una línea circular de puntos alrededor del centro del círculo.)

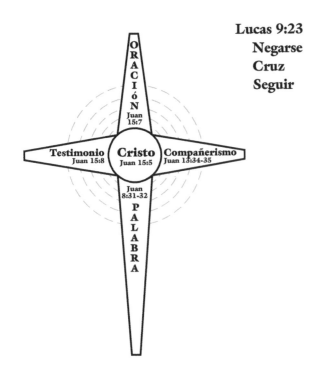

**Lucas 9:23**
**Negarse**
**Cruz**
**Seguir**

En la medida en que crezca en Cristo, alcanzará a otros por medio de todo tipo de ministerios y servicios. (Agregue una punta de flecha en el extremo de cada listón de la cruz.) Las puntas de flechas indican que su crecimiento en Cristo debe expresarse en ministerios. Vivir en la palabra lo guía al ministerio de la enseñanza y la predicación. (Escriba *ministerio de enseñanza/predicación* debajo de la cruz.)

Orar con fe lo conduce al ministerio de adoración o intercesión. (Escriba *ministerio de adoración/intercesión* en la parte superior de la cruz.)

Tener comunión con los creyentes lo guía al *ministerio de cuidados*. (Escriba *ministerio de cuidados* a la derecha de la cruz.)

Dar testimonio al mundo lo guía al ministerio de evangelismo. (Escriba *ministerio de evangelismo* a la izquierda de la cruz.)

Su testimonio y comunión con otros lo guían al servicio cristiano hacia otras personas. (Escriba *ministerio de servicio: Juan 15:13* dentro del listón horizontal de la derecha y recite el versículo.) Observe que la barra horizontal de la cruz, representando el testimonio y el compañerismo, resalta su relación con los demás.

Estas cinco áreas del ministerio constituyen el ministerio del discípulo y de la iglesia de Cristo. La meta del discipulado se expresa en 2 Timoteo 2:21: "Así que, si alguno se limpia de estas cosas, será

instrumento para honra, santificado, útil al Señor, dispuesto para toda buena obra". Usted necesita crecer en todas las disciplinas espirituales y ministerios para redimir su vida, y prepararse para que el Maestro lo use. Si desarrolla todas estas disciplinas, su vida será balanceada y fructífera.

(Mientras presente lo siguiente, escriba el número y la primera palabra seguida del número en la esquina superior de la página.) Para recordar esta ilustración, fíjese que tenga:

**1** El Señor como la primera prioridad de su vida;

**2** Relaciones: una relación vertical con Cristo y una relación horizontal con los demás;

**3** Compromisos: niéguese a sí mismo, tome su cruz diariamente y siga a Jesús;

**4** Recursos para centrar su vida en Cristo: la Palabra, la oración, el compañerismo y el testimonio;

**5** Ministerios que crecen a partir de los cuatro recursos: enseñanza/predicación, adoración/interseción, cuidados, evangelismo y servicio;

**6** Disciplinas del discípulo: dedicarle tiempo al Maestro, vivir en la Palabra, orar con fe, comunión con los creyentes, testificar al mundo, y ministrar a otros.

**1 Señor**
**2 Relaciones**
**3 Compromisos**
**4 Recursos**
**5 Ministerios**
**6 Disciplinas**

Al practicar estos principios bíblicos, puede permanecer en Cristo y puede ser útil en el servicio al Maestro.

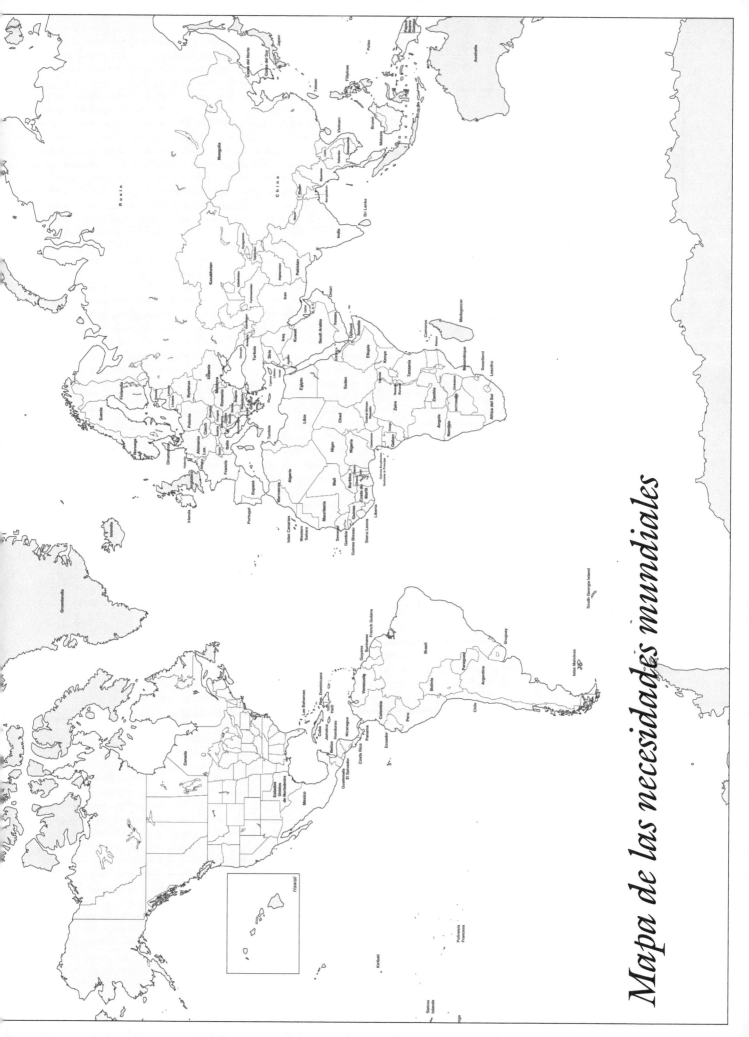

Mapa de las necesidades mundiales

## Lista para el pacto de oración

| Pedido | Fecha | Promesa bíblica | Respuesta | Fecha |
|---|---|---|---|---|
|  |  |  |  |  |
|  |  |  |  |  |
|  |  |  |  |  |
|  |  |  |  |  |
|  |  |  |  |  |
|  |  |  |  |  |
|  |  |  |  |  |
|  |  |  |  |  |
|  |  |  |  |  |
|  |  |  |  |  |
|  |  |  |  |  |
|  |  |  |  |  |
|  |  |  |  |  |
|  |  |  |  |  |
|  |  |  |  |  |
|  |  |  |  |  |
|  |  |  |  |  |
|  |  |  |  |  |

## Cómo redimir el tiempo

Día _____  Fecha _____

**Prioridad**  Minutos

Mi andar con el Maestro en esta semana

Planes anticipados

Trabajo para hacer

Teléfono (Persona, Circunstancia o motivo, Número)

Tiempo libre y planes con la familia

Personas para ver/Citas o compromisos

Escribir

Cosas que lograr

# El inventario del discípulo

**E**ste inventario del discípulo mide el nivel discipular de los individuos, los grupos y las iglesias. Al usar este inventario, los creyentes pueden evaluar su desarrollo al considerar las 30 características del discípulo en el Nuevo Testamento en las categorías: actitudes, conductas, relaciones, ministerio y doctrina.

Siga las instrucciones para completar el inventario:
- Responda a cada afirmación sinceramente. Elija la respuesta que refleje su vida cómo es, no cómo le gustaría que fuera.
- Elija una respuesta para cada afirmación.
- Note los cambios en las preguntas.
- No pase mucho tiempo con una pregunta. Dedíqueles a todas más o menos el mismo tiempo.

Recibirá instrucciones para asignarle una puntuación a su inventario en el taller de trabajo de discipulado.

*¿Cuán ciertas son estas afirmaciones para usted? Elija una de estas respuestas:*

1 = **nunca es cierto**   4 = **generalmente es cierto**
2 = **rara vez es cierto**  5 = **casi siempre es cierto**
3 = **algunas veces es cierto**

1. Me esfuerzo por vivir bajo las enseñanzas morales y éticas de la Biblia. **1 2 3 4 5**
2. Leer y estudiar la Biblia ha producido cambios importantes en la manera como vivo mi vida. **1 2 3 4 5**
3. Mi fe modela la manera como pienso y vivo cada día. **1 2 3 4 5**
4. Hablo con otras personas acerca de mi fe en Cristo como Señor y Salvador. **1 2 3 4 5**
5. Dedico tiempo para orar y meditar. **1 2 3 4 5**
6. Porque Dios me ha perdonado, puedo perdonar cuando otros hacen lo indebido, y eso afecta mi persona. **1 2 3 4 5**
7. Mientras me relaciono con otros cada día, trato de buscar la oportunidad para hablarles acerca de Jesús. **1 2 3 4 5**
8. Mis vecinos y parientes saben que soy creyente. **1 2 3 4 5**
9. Trato de demostrar amor a las personas que conozco. **1 2 3 4 5**

10. Cuando me doy cuenta de que desobedecí a una enseñanza específica de la Biblia, subsano el error. **1 2 3 4 5**
11. Oro pidiendo la ayuda de Dios cuando tengo necesidades o problemas. **1 2 3 4 5**
12. Expreso mis sentimientos y necesidades a mis amigos creyentes. **1 2 3 4 5**
13. Cuando me tratan injustamente guardo rencor. **1 2 3 4 5**
14. Le dedico tiempo a la lectura y estudio de la Biblia. **1 2 3 4 5**
15. Me gusta adorar y orar con otros. **1 2 3 4 5**
16. Uso mis dones y talentos para servir a otros. **1 2 3 4 5**
17. Cuando me doy cuenta de que he ofendido a alguien, me dirijo a esa persona para admitir mi error y pedir perdón por el mal que he hecho. **1 2 3 4 5**
18. Oro por la salvación de mis amigos y personas que conozco que aún no han recibido a Cristo. **1 2 3 4 5**
19. Trato de resolver los problemas y derribar las barreras que pudiese haber entre mis amigos y yo. **1 2 3 4 5**
20. Me siento incapaz de ayudar a otros. **1 2 3 4 5**

*¿Con qué frecuencia, si es que alguna vez lo hizo, realiza lo siguiente? Elija una de estas respuestas.*

1 = **rara vez o nunca**   4 = **varias veces a la semana**
2 = **una vez al mes**    5 = **una vez al día o más**
3 = **una vez a la semana**

21. Oro con otros creyentes, además de cuando estoy en la iglesia **1 2 3 4 5**
22. Participo en pequeños grupos de estudio bíblico, además de la escuela dominical **1 2 3 4 5**
23. Oro o medito, otras veces además de cuando estoy en la iglesia o cuando como **1 2 3 4 5**
24. Memorizo versículos y pasajes bíblicos **1 2 3 4 5**
25. Estudio la Biblia por mí mismo **1 2 3 4 5**
26. Oro especialmente por las misiones y los misioneros **1 2 3 4 5**

*Indique en qué medida está de acuerdo o en desacuerdo con cada una de las siguientes afirmaciones. Elija una de estas respuestas.*

1 = **totalmente en desacuerdo**
2 = **casi en desacuerdo**
3 = **no estoy seguro**
4 = **casi de acuerdo**
5 = **totalmente de acuerdo**

27. Es mi responsabilidad personal compartir el mensaje del evangelio con las personas allegadas a mi vida y que no son creyentes. 1 2 3 4 5

28. Cuando una persona es salva, no puede perder su salvación. 1 2 3 4 5

29. Generalmente acepto la crítica constructiva y las correcciones de otros creyentes. 1 2 3 4 5

30. Creo que el Espíritu Santo está obrando en mi vida. 1 2 3 4 5

31. Si la persona busca sinceramente a Dios, puede obtener la salvación por medio de otras religiones que no sean cristianas. 1 2 3 4 5

32. Sé cómo explicar el evangelio a otra persona sin depender de un tratado evangelístico. 1 2 3 4 5

33. Un creyente debe considerarse responsable por los demás creyentes. 1 2 3 4 5

34. Un creyente debe buscar siempre la manera de hablarles a otros de Jesús. 1 2 3 4 5

35. La salvación sólo es posible cuando la persona recibe a Jesucristo. 1 2 3 4 5

36. La manera como vivo mi vida cristiana no es asunto de los demás. 1 2 3 4 5

37. El Espíritu Santo viene a la persona cuando recibe a Jesús como Salvador. 1 2 3 4 5

38. Existe el infierno. 1 2 3 4 5

39. Creo que tengo la responsabilidad de ayudar al pobre y al hambriento. 1 2 3 4 5

40. La plenitud del Espíritu Santo se da a través de una experiencia que no ocurre con la conversión. 1 2 3 4 5

*¿Cuántas horas ha dedicado usted el mes pasado a siguientes actividades, ya sea en la iglesia, en otras organizaciones o por su propia cuenta? No cuente el tiempo que le dedicó a un trabajo por el cual se le paga. Elija una de estas respuestas.*

1 = **0 horas**          4 = **6-9 horas**
2 = **1-2 horas**        5 = **10 horas o más**
3 = **3-5 horas**

41. Dedicó parte de su tiempo para ayudar a personas pobres, hambrientas, enfermas o incapaces de cuidarse a sí mismas (no cuente a los familiares) 1 2 3 4 5

42. Visitó a aquellos que visitaron su iglesia 1 2 3 4 5

43. Ayudó a sus amigos o vecinos con problemas 1 2 3 4 5

44. Participó de algún ministerio o causa relacionada con las misiones 1 2 3 4 5

45. Visitó a personas en el hospital 1 2 3 4 5

46. Dedicó parte de su tiempo a la iglesia en la enseñanza, el liderazgo, el servicio, o la participación en algún comité o comisión, o colaborando para algún programa 1 2 3 4 5

47. Visitó los hogares de amigos creyentes 1 2 3 4 5

48. Visitó a los ancianos o a los que están confinados en sus casas 1 2 3 4 5

*¿Cuán ciertas son estas afirmaciones para usted? Elija una de estas respuestas:*

1 = **absolutamente falsa**
2 = **en cierta medida falsa**
3 = **No estoy seguro**
4 = **generalmente es cierto**
5 = **absolutamente cierto**

49. Soy receptivo y respondo a las enseñanzas de la Biblia en mi iglesia. 1 2 3 4 5

50. Estoy dispuesto a recibir y perdonar a aquellos que me ofenden. 1 2 3 4 5

51. Me veo a mí mismo como alguien amado y valioso para Dios. 1 2 3 4 5

52. Expreso una genuina alabanza y gratitud a Dios aún cuando estoy en el medio de una difícil circunstancia. 1 2 3 4 5

53. Evito relacionarme con los que me impiden que exprese mis valores y principios cristianos. 1 2 3 4 5

54. Estoy consciente que Dios me ha puesto en esta tierra para contribuir al cumplimiento de sus planes y propósitos. 1 2 3 4 5

55. Reconozco que todo lo que tengo pertenece a Dios. 1 2 3 4 5

56. Mi vida está llena de tensión y ansiedad. 1 2 3 4 5

57. Creo que Dios siempre suplirá mis necesidades básicas en la vida. 1 2 3 4 5

58. Me siento de alguna manera titubeante de hacerles

saber a otros que soy creyente. **1 2 3 4 5**

59. Evito las situaciones en que me veo tentado por inmoralidades sexuales. **1 2 3 4 5**

60. Estoy luchando en este momento por no poder perdonar a una persona. **1 2 3 4 5**

61. Me siento muy inferior a los demás en la iglesia.

62. Busco primero a Dios para expresar mis valores y establecer mis prioridades. **1 2 3 4 5**

63. Soy capaz de permanecer firme en el amor y la provisión de Dios aun cuando me encuentre en circunstancias difíciles. **1 2 3 4 5**

64. Perdono a aquellos que me ofendieron aun cuando ellos no se hayan disculpado. **1 2 3 4 5**

65. Ser creyente es un asunto privado que no necesita discutirse con otros. **1 2 3 4 5**

*¿Qué porcentaje de sus ingresos contribuyó el año pasado a cada una de las siguientes instituciones? Elija una de estas respuestas.*

    1 = 0%          4 = 6-9%
    2 = 1-2%        5 = 10%
    3 = 3-5%

66. A mi iglesia **1 2 3 4 5**

67. A otras organizaciones o grupos religiosos **1 2 3 4 5**

68. A organizaciones de caridad y beneficio a la comunidad **1 2 3 4 5**d

69. A las misiones en el extranjero (por medio de mi iglesia o de otra organización) **1 2 3 4 5**

*Para las siguientes preguntas elija una de estas respuestas:*

1 = ninguno          4 = la mayoría
2 = unos pocos       5 = todos
3 = varios

70. ¿Cuántos de sus amigos más cercanos considera que son inconversos? **1 2 3 4 5**

*¿Cuántas veces ha experimentado usted el mes pasado las siguientes situaciones? Elija una de estas respuestas.*

1 = nunca          4 = 6-9 veces
2 = una vez        5 = 10 veces o más
3 = 2-5 veces

71. Sintió la presencia de Dios claramente en su vida **1 2 3 4 5**

72. Compartió con alguien cómo usted llegó a convertirse **1 2 3 4 5**

73. Invitó a una persona, que no tiene por costumbre ir a la iglesia, a que asistiera a alguna actividad de estudio bíblico o evangelística de la iglesia **1 2 3 4 5**

74. Experimentó al Espíritu Santo en el entendimiento o la convicción de pecado **1 2 3 4 5**

75. Se reunió con un creyente nuevo para ayudarlo a crecer espiritualmente **1 2 3 4 5**

76. Le contó a los demás acerca de lo que Dios está obrando en su vida **1 2 3 4 5**

77. Oró con alguien para que recibiera a Cristo **1 2 3 4 5**

78. Le dio un tratado evangelístico o alguna literatura similar a algún inconverso **1 2 3 4 5**

*Indique si está de acuerdo o en desacuerdo con las siguientes afirmaciones. Elija una respuesta.*

1 = totalmente en desacuerdo
2 = casi en desacuerdo
3 = no estoy seguro
4 = casi de acuerdo
5 = totalmente de acuerdo

79. Es muy importante que cada creyente sirva a otros. **1 2 3 4 5**

80. Un día Dios me juzgará por la manera en que usé mi tiempo, dinero y talentos. **1 2 3 4 5**

81. Todos los creyentes deben seguir las enseñanzas bíblicas. **1 2 3 4 5**

82. La Biblia es la fuente de autoridad que nos da la sabiduría para nuestro diario vivir. **1 2 3 4 5**

83. El creyente debe aprender a negarse a sí mismo para servir efectivamente a Cristo. **1 2 3 4 5**

84. Tengo dificultades para aceptarme a mí mismo. **1 2 3 4 5**

85. He identificado mi principal don espiritual. **1 2 3 4 5**

86. Después de la muerte, el inconverso se va al infierno. **1 2 3 4 5**

87. Todas las enseñanzas morales y éticas deben permanecer en el creyente moderno. **1 2 3 4 5**

88. Para conservar el bienestar espiritual del creyente es necesario dedicar tiempo a un ministerio específico en la iglesia. **1 2 3 4 5**

89. Creo que Dios siempre cumple sus promesas, en todas mis circunstancias. **1 2 3 4 5**

90. Sin la muerte de Jesús, la salvación no sería posible. **1 2 3 4 5**

91. La Biblia es la completa revelación de Dios en la cual confiamos. **1 2 3 4 5**

*Indique cuán bien preparado cree estar en las siguientes áreas. Elija una de estas respuestas.*

**1 = no estoy preparado**
**2 = algo preparado**
**3 = medianamente preparado**
**4 = adecuadamente preparado**
**5 = muy bien preparado**

92. Para presentar el plan de salvación **1 2 3 4 5**
93. Para ayudar a un creyente nuevo que necesita crecer espiritualmente **1 2 3 4 5**
94. Para orar con alguien para recibir a Cristo **1 2 3 4 5**
95. Para visitar a miembros en perspectiva de la iglesia **1 2 3 4 5**
96. Para dirigir un pequeño grupo de estudio bíblico **1 2 3 4 5**
97. Para comunicar el testimonio personal de cómo se convirtió a Cristo **1 2 3 4 5**

*Indique con qué frecuencia en los dos o tres últimos años ha hecho lo siguiente. Elija una de estas respuestas.*

**1 = nunca**            **4 = semanalmente**
**2 = pocas veces**      **5 = diariamente**
**3 = mensualmente**

98. Lee la Biblia **1 2 3 4 5**
99. Pone en práctica las enseñanzas de la Biblia **1 2 3 4 5**
100. Ora **1 2 3 4 5**
101. Ayuda a personas necesitadas **1 2 3 4 5**
102. Lee y estudia acerca de la fe cristiana **1 2 3 4 5**
103. Participa en estudios bíblicos, programas o grupos fuera de la iglesia **1 2 3 4 5**
104. Hace los cambios necesarios cuando se da cuenta, al estar expuesto a la Biblia, que un aspecto de su vida no estaba en lo correcto **1 2 3 4 5**
105. Habla con los demás respecto a los principios o guías que obtiene de la Biblia **1 2 3 4 5**
106. Experimenta el cuidado, el amor y el apoyo de otras personas en la iglesia **1 2 3 4 5**
107. Trata de alentar directamente a alguien para que crea en Jesucristo **1 2 3 4 5**
108. Trata de cultivar la amistad con personas que no son creyentes **1 2 3 4 5**

*¿Cuán ciertas son estas afirmaciones? Elija una de estas respuestas.*

**1 = nunca es cierta     4 = generalmente es cierta**
**2 = rara vez es cierta  5 = casi siempre es cierta**
**3 = algunas veces es cierta**

109. Siento la presencia de Dios en mis relaciones con las demás personas. **1 2 3 4 5**
110. Trato a las personas del sexo opuesto de una manera pura y santa. **1 2 3 4 5**
111. Cuando tengo la convicción de que he pecado, estoy dispuesto a confesárselo a Dios. **1 2 3 4 5**
112. Por medio de la oración busco discernir la voluntad de Dios en mi vida. **1 2 3 4 5**
113. Estoy dispuesto a perdonar a otros porque sé que Dios me ha perdonado a mí. **1 2 3 4 5**
114. Ayudo a otros en sus luchas y preguntas acerca de la religión. **1 2 3 4 5**
115. He aprendido por medio de la fe y de la Escritura cómo sacrificarme para el bien de los demás. **1 2 3 4 5**
116. Comento mis debilidades y mis fallas a los que considero más cercanos. **1 2 3 4 5**
117. Generalmente soy la misma persona en privado que en público. **1 2 3 4 5**
118. Cuando Dios me da a conocer su voluntad para mi vida, le obedezco. **1 2 3 4 5**
119. Regularmente me encuentro tratando de elegir la manera como Dios lo quiere en lugar de la mía en asuntos específicos. **1 2 3 4 5**
120. Soy sincero en mi trato con los demás. **1 2 3 4 5**
121. Oro regularmente por el ministerio de mi iglesia. **1 2 3 4 5**

*¿Con qué frecuencia asiste a las siguientes actividades? Elija una de estas respuestas.*

**1 = nunca**            **4 = semanalmente**
**2 = pocas veces**      **5 = diariamente**
**3 = mensualmente**

122. Los cultos de mi iglesia **1 2 3 4 5**
123. La clase de la escuela dominical **1 2 3 4 5**
124. Otros estudios bíblicos **1 2 3 4 5**
125. Grupos o reuniones de oración **1 2 3 4 5**

*Indique en qué medida está de acuerdo o en desacuerdo con cada una de las siguientes afirmaciones. Elija una de estas respuestas.*